P9-EDY-819

© 1999 Editrice IL BOSCO E LA NAVE s.r.l.
Via Alfredo Casella, 51
00199 Roma
Tel./Fax 0039 06 295825
E-mail: ilboscoelanave@iol.it

In copertina/*on cover*:
Fondazione di un'Abbazia da parte di Carlo Magno
Charlemagne founds an abbey (detail)
(particolare da *Chroniques et conquêtes de Charlemagne;* Bruxelles, Bibliothèque Royale Albert Ier, ms. 9068, fol. 289)

ISBN 88-87565-01-5

Agenzia per la Città
Centro Studi il Bosco e la Nave - U.C.I. Tecnici - University of Notre Dame - Institute for Sacred Architecture

RICONQUISTARE LO SPAZIO SACRO
RECONQUERING SACRED SPACE

RISCOPRIRE LA TRADIZIONE NELL'ARCHITETTURA LITURGICA DEL XX SECOLO
REDISCOVERING TRADITION IN TWENTIETH CENTURY LITURGICAL ARCHITECTURE

a cura di/*edited by*:

Cristiano Rosponi, Giampaolo Rossi

IL BOSCO
E LA NAVE

COMITATO D'ONORE/*COMMITTEE OF HONOUR*

L'Ambasciatore di Romania presso la Santa Sede
S. E. Teodor Baconsky

S. A. R.
Dom Duarte de Bragança

Il Sottosegretario di Stato del Ministero dei Beni Culturali
On. Prof. Giampaolo D'Andrea

Il Sottosegretario di Stato del Ministero della Pubblica Istruzione
On. Prof. Sergio Zoppi

Il Presidente della Regione Lazio
On. Piero Badaloni

Il Presidente della Provincia di Roma
On. Silvano Moffa

Il Sindaco di Roma
On. Francesco Rutelli

L'Arcivescovo di Chicago
S. E. R. Francis Cardinal George

Mostra internazionale di Architettura Liturgica / *International exhibition on Liturgical Architecture*
Roma, "Sala Borromini" - Piazza della Chiesa Nuova, 18
9-22 Ottobre/*9-22nd October* 1999

COMITATO ORGANIZZATORE/*ORGANIZER COMMITTEE*
Cristiano Rosponi, Giampaolo Rossi, Duncan G. Stroik (curatori/*curators*)
Annalisa Ciarcelluti (allestimento mostra/*preparation of exhibition*)
Claudio Coen

COMITATO SCIENTIFICO/*SCIENTIFIC COMMITTEE*
Andrea Baciarlini, Sandro Benedetti, Carlo Fabrizio Carli, Piotr Choynowski, Annalisa Ciarcelluti,
Maurice Culot, Camilian Demetrescu, Thomas Gordon Smith, Cristiano Rosponi, Giampaolo Rossi,
Duncan G. Stroik, Gabriele Tagliaventi

UFFICIO STAMPA/*PRESS AGENCY*
Adriana Massara, Giuseppe Vitale

TRADUZIONI/*TRANSLATIONS*
Dino Marcantonio, Ellen M. Rice, Giovanna Lenzi Sandusky, Dorothy Walsh

PATROCINIO/*PATRONAGE OF*
Regione Lazio
Agenzia Romana per la preparazione del Giubileo
Ministero Beni Culturali
Ministero Pubblica Istruzione
Comune di Roma
Provincia di Roma

PROMOZIONE/*PROMOTED BY*
Archives d'Architecture Moderne, *Bruxelles*
A Vision of Europe, *Bologna*
Institute for Sacred Architecture, *South Bend*
Istituzione Biblioteche, *Roma*
St. Petersburg Academy of Arts, *St. Petersburg*
Università di Ferrara, *Ferrara*

INDICE/*CONTENTS*

Frederick E. Hart,
La Madre e il Bambino
Mother and Child

IL CRISTIANO E L'ARTE: PER UNA CULTURA DELLA SPERANZA
THE CHRISTIAN AND THE ART: TOWARDS A CULTURE OF HOPE

Giampaolo Rossi

Claudio Traversi: *oranti*, dettaglio /prayers, *detail*
Vetrata della Chiesa di S. Carlo da Sezze - Roma, 1987
Stained glass of S. Carlo from Sezze Church - Rome, 1987

LA *"TENTAZIONE DELLA DISPERAZIONE"*

È il 1892 quando Edward Munch dipinge *Sera sulla Karl Johan*, un quadro emblematico che inaugura il volto d'orrore che il pittore norvegese esprimerà poi nel suo *Grido*. La processione di figure spettrali che percorrono la via principale della città di Christiania sembra anticipare l'angoscia esistenziale dell'uomo contemporaneo. Il pallore dei visi, la fissità degli sguardi s'accompagnano ai versi stessi di Munch: *"Ho visto tutte quelle persone oltre le loro maschere - sorriso flemmatico, facce composte - Ho visto attraverso di loro la sofferenza (...)"*[1].

Due anni prima, nel 1890, Knut Hamsun (futuro Nobel per la Letteratura) pubblicava *Fame*, un racconto autobiografico, sconvolgente e crudo; ambientato anch'esso a Christiania, tratteggiava il profilo violento della povertà e della solitudine in una città moderna; un atto d'accusa alle consuetudini e alle ipocrisie borghesi ma soprattutto alla disumanità della società. La fuga da quei meccanismi feroci, dai legami astratti diventava allora l'unica difesa contro una modernità asfissiante.

Knut Hamsun lo scrittore, Edward Munch l'artista, entrambi da una città alla periferia dell'Europa, raccolgono l'estremo malessere dell'uomo contemporaneo, evocando attraverso l'arte un disagio esistenziale che troverà conferma nelle trasformazioni del XX secolo.

La *morte di Dio* colpisce l'Occidente in profondità, nella pretesa di scalfire nella coscienza della nostra epoca il nucleo stesso della Rivelazione cristiana. Il dio che Nietzsche fa morire non risorge: è semplicemente un'ombra che si dissolve. Il peccato originale si rinnova in una forma spietata. Negare la paternità è come disconoscere la propria identità e l'uomo moderno si proclama figlio di se stesso e creatore. È la disperante follia di Zarathustra: *Via da Dio e dagli déi, mi ha allettato questa volontà; cosa mai resterebbe da creare se gli déi esistessero!"*[2].

THE *"TEMPTATION TO DESPAIR"*

It is 1892 and Edward Munch paints Evening on Karl Johan Street, *an emblematic picture that inaugurates the face of horror that the Norwegian painter will express later in* The Cry. *The procession of spectral figures that fill the principle streets of Christiania seems to anticipate the existential anguish of contemporary man. The pallor of the faces, the fixity of the looks are accompanied by these verses of Munch: "I have seen all those persons beyond their masks - self possessed smiles, composed faces - I have seen through them to their suffering (...)"[1].*

Two years before, in 1890, Knut Hamsun (future Nobel prize for Literature) published Hunger, *an autobiographical account, disturbing and raw; also accustomed to Christiania, het outlined the violent profile of poverty and solitude in a modern city; it is an indictment of the customs and the hypocrisy of the bourgeois but above all the inhumaness of society. To escape from these terrible controls, and from the binds of abstraction became the only defense against an asphyxiating modernity.*

Knut Hamsun the writer, Edward Munch the artist, both from a city on the periphery of Europe, gather together the extreme malaise of contemporary man, evoking through art the existential uneasiness that will find confirmation in the Twentieth century's transformations.

The Death of God *wounded the West profoundly, in the pretension of pricking the conscience of our age, the same nucleus of Christian Revelation. The god that Nietzsche makes die does not revive: it is simply a shadow that is dissolved. Original sin is renewed in a pitiless shape. To deny the paternity is like disowning one's own identity, so modern man proclaims himself both son of himself and creator. It is Zarathustra's despairing madness, "Away from God and from the gods, this will has enticed me; nothing would remain to create if the gods existed!"[2].*

Il XX secolo è il tempo delle utopie realizzate nelle ideologie che hanno segnato nell'orrore la nostra storia. Se, come afferma Alberto Savinio, *"il primo requisito di ogni utopia è la qualità ateistica"*[3], le ideologie moderne hanno tutte realizzato compiutamente questa *"qualità"*. Utopia, (il luogo che non c'è, ου-τοπος), l'isola incontrata dal navigatore Raphael Itloideo (il dispensatore di menzogne, υτλος δαειν) e raccontata da Tommaso Moro, in realtà s'intravede navigando lungo le rotte di questo secolo, nella pretesa moralistica e razionale di costruire una società perfetta. La morte delle ideologie recupera il senso di un'antropologia veramente cristiana; le parole del Socrate di Jean Guitton la svelano: *"mille miliardi d'idee non valgono una sola persona. Dobbiamo amare le persone. È per loro che dobbiamo vivere e morire"*[4].

Il XX secolo è anche il tempo della scienza e della tecnica che svincolate dai bisogni dell'uomo, sviluppano un sapere frammentario, incapace di aiutare la ricerca di un senso. Sotto la potenza livellatrice della Tecnica si delinea il nucleo ultimo del nichilismo come spazio e tempo del non-senso. Giovanni Paolo II nella *Fides et Ratio*: *"Questo nichilismo trova in qualche modo una conferma nella terribile esperienza del male che ha segnato la nostra epoca. Dinnanzi alla drammaticità di questa esperienza, l'ottimismo razionalista che vedeva nella storia l'avanzata vittoriosa della ragione, fonte di felicità e di libertà, non ha resistito, al punto che una delle maggiori minacce in questa fine di secolo, è la tentazione della disperazione"*[5].

RITROVARE IL SENSO

La predicazione di Paolo ad Atene *"la città piena di idoli"*, la culla della sapienza greca, conserva uno straordinario carattere d'attualità, oltre che ovviamente un forte potere evocativo.

Racconta Luca che, poiché da diversi giorni Paolo discuteva vivacemente nella sinagoga con i Giudei e con i pagani credenti in Dio e, cosa più che rara, nella piazza principale della città, viene condotto da un gruppo di filosofi stoici ed epicurei sull'Aréopago di Atene ed invitato a parlare ad una platea sicuramente più dotta: *"Possiamo dunque sapere qual è questa nuova dottrina predicata da te? Cose strane per vero ci metti negli orecchi"* (At 17, 19-20). Inizia così un discorso che è l'unico esempio di predicazione ai pagani conservato negli Atti degli Apostoli. L'annuncio ad una platea di filosofi del *"Dio che ha fatto il mondo e tutto ciò che contiene"* (At 17, 24), nonostante i forti toni anti-idolatrici, non sembra suscitare reazioni di sorta, almeno fino al momento culminante dell'annuncio della Resurrezione. Qui la reazione dell'Aréopago si scatena improvvisamente: *"Quando sentirono parlare di resurrezione dei morti, alcuni lo deridevano, altri dissero: «Ti sentiremo su questo un'altra volta». Così Paolo uscì da quella riunione"* (At 17,32-33). L'insuccesso dell'Apostolo delle Genti fu, in questo caso, pressoché totale: la derisione della cultura greca apparve più umiliante della persecuzione subita a Gerusalemme. Il primo confronto tra il messaggio cristiano e la cultura del proprio tempo non sembrò ben riuscito.

Appare singolare il fatto che Luca si soffermi con estrema puntualità e dovizia di particolari su un episodio che ha rappresentato un vero e proprio fallimento nella predicazione paolina. Lasciata Atene, Paolo si reca a Corinto dove continua la sua opera missionaria; ma lì sembra aver compreso l'errore commesso ad Atene: lo scandalo della Croce e della Resurrezione è verità di fede non di ragione. Ogni tentativo di piegarla a verità razionale è destinato a fallire. Questo ci svela Paolo in uno dei passi più belli delle sue lettere: *"Dov'è il sapiente? Dov'è il dotto? Dove mai il sottile ragionatore di questo mondo? Non ha forse Dio dimostrato stolta la sapienza di questo mondo? Poiché, infatti, nel disegno sapiente di Dio il mondo, con tutta la sua sapienza, non ha conosciuto Dio, è piaciuto a Dio salvare i credenti con la stoltezza della predicazione. E mentre i Giudei chiedono i miracoli e i Greci cercano la sapienza, noi predichiamo Cristo crocifisso, scandalo per i Giudei,*

The Twentieth century is the time of utopias, realized by the ideologies which have marked our terrible history. If, as asserts Alberto Savinio, "the first requirement of every utopia is the atheistic quality"[3], then the modern ideologies have all realized this "quality" completely. Utopia, (the place that is not, ου-τοπος), the island found by the navigator Raphael Itloideo (the distributor of lies, υτλος δαειν) and told by Thomas More appears in a glimpse of travel along the routes of this century, in the moralistic and rational pretension of constructing a perfect society. The death of ideologies has recovered the sense of a truly Christian anthropology; the words of Socrates by Jean Guitton reveal this: "thousand billions of ideas are not worth one single person. We must love persons. It is for them that we must live and die"[4].

The twentieth century is also the time of science and the technique that engage from the needs of man, developing a fragmentary knowledge, incapable to help in the search for meaning. Under Technique, the powerful leveller, the last nucleus of nihilism is delineated as space and time of non-meaning. John Paul II in Fides et Ratio*: "This nihilism has been justified in a sense by the terrible experience of evil which has marked our age. Such a dramatic experience has ensured the collapse of rationalist optimism, which viewed history as the triumphant progress of reason, the source of all happiness and freedom; and now, at the end of this century, one of our greatest threats is the temptation to despair"[5].*

TO REDISCOVER MEANING

The preaching of Paul in Athens "the city full of idols", the cradle of Greek wisdom, preserves an extraordinary character of the present time, beyond that obviously a strong and evocative power.

Luke recounts that, since from various days Paul argued in the synagogue with the Jews and the devout pagans and, what is more rare, in the main public square of the city, a group of stoic and epicurean philosophers came to lead him to the Aréopagus of Athens and invited him to speak to a more scholarly audience: "May we learn what this new teaching is that you speak of? For you bring some strange notions to our ears". (Acts 17, 19-20). Thus begins a discourse that is the only example of preaching to the pagans preserved in the Acts of the Apostles. The announcement to an audience of philosophers of "The God who made the world and all that is in it" (Acts 17, 24), although in strong tones against idolatry, does not seem to provoke reactions of any kind, at least until the culminating moment of the announcement of the Resurrection. Here the reaction of the Aréopagites is loosed suddenly: "When they heard about resurrection of the dead, some become to scoff, but others said, «We should like to hear you on this some other time». And so Paul left them". (Acts 17.32-33). The failure of the Apostle to the Gentiles was, in this case, almost total: the derision by Greek culture appeared more humiliating than the following persecution in Jerusalem. The first comparison of the Christian message with the culture of the time did not seem very successful.

The singular fact is that Luke lingers with extreme precision and particular emphasis on an episode he represents as a real failure in pauline preaching. Leaving Athens, Paul goes to Corinth where his missionary work continues; but there, he seems to have understood the errors he committed in Athens: the scandal of the Cross and of the Resurrection is a truth of faith and not of reason. Every attempt to bend it to rational truth is destined to fail. This reveals Paul to us in one of the most beautiful passages of his letters: "Where is the wise one? Where is the scribe? Where is the debater of this age? Has not God made the wisdom of the world foolish? For since, in the wisdom of God, the world did not know God through wisdom, it was the will of God through the foolishness of the proclamation to save those who have faith. For Jews demand signs and Greeks look for wisdom, but we proclaim Christ crucified, a stumbling block to Jews and foolishness to

stoltezza per i pagani" (1Cor 1,20-23).

La tentazione della disperazione, denunciata dal Papa come reale minaccia dei nostri tempi, obbliga i cristiani ad una nuova consapevolezza nell'essere testimoni di Cristo nel mondo. In particolare, la necessità di costruire un progetto culturale orientato in senso cristiano, rappresenta un punto di forza su cui si snoda l'intero pontificato di Giovanni Paolo II: *"Una fede che non diventa cultura è una fede non pienamente accolta, non interamente pensata, non fedelmente vissuta".* Provocare una *"fermentazione cristiana della cultura"*, per usare le parole del Cardinale Ruini, significa operare concretamente per risolvere quella crisi di senso che attanaglia il nostro tempo.

La caratteristica essenziale dell'età moderna rimane il suo carattere plurale, multiforme, contraddittorio, del quale ogni "cultura" deve tener conto; Lo aveva ben compreso, all'inizio del secolo, Paul Valéry: *"Un uomo moderno, ed è in questo che è moderno, vive familiarmente con una grande quantità di contrari, situati nella penombra del suo pensiero e che, a turno, si presentano sulla scena"[6].* Questo obbliga a ripensare ogni modello culturale come elemento elastico, mutabile, basato sul dialogo e sul confronto con l'altro-da-sè, come base di partenza per qualsiasi progetto di radicamento nella società. D'altro canto oggi, il cristiano che annuncia la Croce, sembra muoversi in un contesto storico e culturale del tutto simile all'Atene in cui predicò l'Apostolo Paolo. Questo per due ragioni fondamentali. Innanzi tutto quella cristiana è oggi una cultura di minoranza rispetto al processo di secolarizzazione intrapreso dall'Occidente da oltre due secoli: essere cristiani è sempre più una scelta, sempre meno un dato di fatto, e questa scelta implica una consapevolezza in termini d'impegno, di adesione esistenziale, d'accettazione di una propria diversità del tutto nuova rispetto all'immediato passato. Il secondo aspetto riguarda la necessità d'instaurare, nella complessità del mondo moderno, una cultura del dialogo e dell'incontro proficua e sincera, ma tenendo sempre presente che il nucleo essenziale della Rivelazione non è scindibile dalla fede e non è riconducibile alla semplice ragione. Giovanni Paolo II: *"Il Figlio di Dio crocifisso è l'evento storico contro cui s'infrange ogni tentativo della mente di costruire su argomentazioni soltanto umane, una giustificazione sufficiente del senso dell'esistenza"[7].* Lo scandalo della Croce è un "segno" troppo forte impresso alla nostra ragione, per provarne indifferenza. Su quel corpo inchiodato scorre il fiume di una ricerca che non smette di coinvolgere l'uomo e rinnova per ognuno di noi, credente o non credente, la tensione al trascendente.

La "disavventura" di Paolo ad Atene ha dimostrato proprio questo. La necessità per la Chiesa di riallacciare il filo che unisce fede e ragione non può comportare l'esaurimento del Mistero redentivo nei lacci della razionalità. Per ritrovare il senso occorre compiere *"quel passaggio tanto necessario quanto urgente dal fenomeno al fondamento"[8]* auspicato dal Pontefice.

Per questo, tra le diverse forme in cui la cultura moderna s'esprime, l'arte figurativa, plastica ed architettonica, appare il mezzo più adeguato per cogliere ed intuire l'essenza di questo Mistero. La sua capacità di oltrepassare la razionalità, di trasformare e trasfigurare la realtà, di trascendere i linguaggi formali, ne fanno uno straordinario strumento espressivo per l'uomo. Nel suo essere "possibilità" continua, l'arte è atto creativo per eccellenza. Ecco perché l'impegno degli artisti cristiani può diventare oggi fondamento dell'Annuncio ed un reale progetto culturale cristiano trova nelle espressioni artistiche la propria linfa vitale.

TRA STUPORE E CREAZIONE

Voce di decadenza e di dolore, Emile Cioran scrive, in *Précis de décomposition: "L'Albero della Vita non conoscerà più primavere: è legno secco; se ne faranno bare per le nostre ossa, i nostri sogni e i nostri dolori. La nostra carne ereditò il tanfo delle carogne disseminate*

Gentiles" (I Corinthians 1, 20-23).

The temptation to despair, denounced by the Pope as the real threat of our times, obligates Christians to a new knowledge in being witnesses for Christ in the world. In particular, the necessity of constructing a cultural project oriented in a Christian sense, represents the strongpoint which explains the entire pontificate of John Paul II: "A faith that does not grow culture is a faith not fully received, not thought out completely, not faithfully lived". *To provoke a* "Christian fermentation of culture", *to use the words of Cardinal Ruini, means to act concretely so as to resolve the crisis of meaning that grips our time. The essential characteristic of the modern age remains its pluralistic character, multiformed, contradictory, to which every "culture" must give account; Paul Valéry, at the beginning of the century, understood this well: "a modern man, and it is in this that he is modern, lives comfortably with a great amount of opposites, situated in the penumbra of his mind and then, in turn, they are introduced on the scene"[6]. This obligates one to rethink every cultural model as like an elastic, changeable element, based on the dialogue and the comparison with things other-than-himself, as a basis of departure for whichever plan of radicalization of society. On the other hand today the Christian who announces the Cross, is seeming to operate in an historical and cultural context similar to the Athens in which Paul the Apostle preached. This is for two fundamental reasons. In the first place, the Christian culture is today in the minority regarding the process of secularization undertaken by the West during the last two centuries: to be Christian is more and more a choice, less and less a point of fact, and this choice implies a knowledge in terms of obligation, of existential adherence, of acceptance of one's own diversity of all new respect to the immediate past.*

According to aspect it regards the necessity to restore, to the complexity of the modern world, a culture of profitable and sincere dialogue and comparison, but always holding present that the essential nucleus of Revelation cannot be separated from faith and can not be brought back simply by reason. John Paul II: "the Son of God crucified is the historical event against which shatters every attempt of the mind to construct only human reasonings, a sufficient justification of the meaning of existence"[7]. The scandal of the Cross is a "sign" too strongly engraved on our reason, to allow indifference. On that nailed body flows the stream of inquiry that does not stop involging man and renews everyone of us, believer or non believer, the tension of transcendence.

Paul's misfortune in Athens has demonstrated just this. The necessity for the Church to re-establish the thread that joins faith and reason cannot involve the dissolution of the redemption Mystery in the web of the rationality. In order to rediscover the sense it is necessary to complete "that urgent and necessary passage from the phenomenon to the foundation"[8] as hoped by the Pontiff.

For this reason, amongst the various forms in which modern culture expresses itself, the figurative, plastic and architectonic arts appear to be the best means for gathering and understanding the essence of this Mystery. Its ability to exceed the rationality, to transform and to transfigure the truth, to transcend formal languages, makes them an extraordinary expressive instrument in the hands of man. In its being a continuous "possibility", art is a supreme creative act. This is why today the Christian artist's commitment can become a foundation of the Announcement and why a real Christian cultural project finds its own vitality in artistic expressions.

BETWEEN ASTONISHMENT AND CREATION

Emile Cioran, a voice of decadence and pain, writes in Précis de décomposition: "The Tree of Life will not know more Springs: it is dry wood; we will make coffins for our bones, our dreams and our pains. Our meat inherited the stench of the carcasses scattered in the*

nei millenni, la loro gloria ci affascinò: noi la esaurimmo. Nel cimitero dello Spirito riposano i principii e le formule: il Bello è definito e interrato lì. E insieme ad esso il Vero, il Bene, il Sapere e gli Dei"[9]. In questo labirinto di pessimismo anche l'arte rimane imprigionata.

Eppure un pensatore come Ernst Jünger, vede tra gli aspetti terrificanti che individuano lo *svanimento* proprio dell'epoca del nichilismo, soprattutto la *"scomparsa del meraviglioso"* fonte di conoscenza e di venerazione. Ma nulla più di un'opera d'arte accompagna lo stupore e la meraviglia. Per questo, scrive Jünger, *"Il superamento e il dominio spirituale dell'epoca non si rispecchieranno nel fatto che macchine perfette coronano il progresso, ma piuttosto nel fatto che l'epoca prende forma nell'opera d'arte"*[10].

In realtà l'avvento del nichilismo non riesce a scalfire quell'intima tensione che sempre spinge l'uomo alla ricerca di Dio. Giovanni Paolo II chiama tutto ciò *"il desiderio e la nostalgia di Dio"*. Nel nostro cammino sperimentiamo continuamente il desiderio d'innalzarci, anche solo per un attimo, al di sopra del nostro vivere, ma quanto più ci avviciniamo ad intuire la profondità del mistero dell'uomo e di Dio, tanto più aumentano in noi stupore e meraviglia. Lo stesso fascinoso stupore e la potente meraviglia che probabilmente colpirono Maria di Magdala e le altre donne davanti al sepolcro vuoto; o quello che colpì Pietro quando *"corse al sepolcro e chinatosi vide solo le bende. E tornò a casa pieno di stupore per l'accaduto"* (Lc 24,12); lo stesso stupore misto a gioia e spavento che s'impadronì degli apostoli all'apparizione di Gesù: *"Stupiti e spaventati credevano di vedere un fantasma. Ma egli disse "«Perché siete turbati e perché sorgono dubbi nel vostro cuore?»"* (Lc 24,37-38).

In questo l'arte ci viene in aiuto. Scrive Giovanni Paolo II: *"In differenti modi e in diversi tempi l'uomo ha dimostrato di saper dare voce a questo suo intimo desiderio. La letteratura, la musica, la pittura, la scultura, l'architettura ed ogni altro prodotto della sua intelligenza creatrice sono diventati canali attraverso cui esprimere l'ansia della sua ricerca"*[11].

Viandanti in questa dimensione fatta di tempo e spazio, desideriamo ascendere le vette della nostra vita per guardare cosa c'è al di sopra delle nubi: come il viandante dipinto da K.D. Friedrich, che il Romanticismo eresse a proprio simbolo. La forza creatrice dell'arte è dirompente e il vero artista è colui che non smetterà mai di stupirci e di meravigliarci; e mischiando emozioni e sensazioni ci aiuterà a stravolgere il falso universo fatto solo di numeri e di Ragion pura.

L'ARTE OLTRE IL *"MURO DI PLANK"*

La fisica moderna è in grado di percorrere a ritroso la storia dell'universo fino ai primissimi momenti successivi alla sua origine. Gli scienziati riescono a descrivere la sua formazione a partire da alcuni miliardesimi di secondo dopo il momento zero (una cifra in secondi corrispondenti a 1 preceduto da 43 zeri). Cosa ci sia stato prima non ci è dato di sapere. L'intera struttura della fisica moderna crolla di fronte al tentativo di spiegare cosa ci fosse ancor prima di un universo miliardi, miliardi e miliardi di volte più piccolo di un nucleo d'atomo. Gli scienziati chiamano "muro di Plank" questo limite. In altre parole, sembra che tutte le nostre facoltà logiche e razionali non siano in grado di conoscere, ma neppure d'immaginare, cosa ci sia al di là del muro di Plank. Esso è il limite estremo oltre il quale la mente umana non riesce ad andare. Jean Guitton prova solo ad intuirlo: *"Un Tempo Totale, inesauribile, che non è ancora stato aperto, suddiviso in passato, presente e futuro (...) Se non riusciamo a capire che cosa ci sia dietro il muro è proprio perché tutte le leggi della fisica perdono terreno davanti al mistero assoluto di Dio e della Creazione"*[12].

L'immagine rubata all'astrofisica può servire per meglio comprendere l'idea fondante dell'arte come processo creativo. Giovanni Paolo II introduce la sua *Lettera agli Artisti*, proprio con le parole della Genesi relative alla Creazione: *"Dio vide quanto aveva fatto, ed ecco, era cosa*

millennia, their glory fascinated to us: we exhausted it. In the cemetery of the Spirit the formulas and principles rest: Beauty is defined and buried there. And with it Truth, Goodness, Knowledge and the Gods"[9]. *In this maze of pessimism also art remains imprisoned.*

Nevertheless a thinker like Ernst Jünger, sees through the terrifying aspects that characterize the dissipation of the age of nihilism, above all the "disappearance of wonder" source of knowledge and veneration. But nothing more than an art work accompanies astonishment and wonder. For this, Jünger writes, "the overcoming and the spiritual dominion of the age will not reflect on the fact that perfect machines crown progress, but rather on the fact that the age takes form in the work of art"[10].

In truth the advent of nihilism does not succeed in effecting that intimate tension that always pushes man to search for God. John Paul II calls this "desire and nostalgia of God". On our path we continuously experience the desire to elevate ourselves even if only for a moment, above our daily living, but the more we approach feeling the depth of the mystery of man and of God, the more it increases in us astonishment and wonder. The same fascinating astonishment and the powerful wonder that probably affected Mary of Magdala and the other women in front of the empty sepulchre; or what hit Peter when "got up and ran to the tomb, bent down, and saw the burial cloths alone; then he went home amazed at what had happened" (Lk 24.12); the same mixed emotion of astonishment and joy and fright that over took the apostles at the apparition of Jesus: "Astonished and scared they believed to be seeing a ghost. But he said «Why are you troubled? And why do questions arise in your hearts?»" (Lk 24.37-38).

In this art comes to our aid. John Paul II writes: "In different ways and at various times man has demonstrated knowing how to give voice to this intimate desire. Literature, music, painting, sculpture, architecture and every other product of his creative intelligence have become channels through which express the eargerness of his search"[11].

Travellers in this dimension made of time and space, we wish to raise the summits of our life in order to see what is above the clouds: like the traveller painted by K.D. Friedrich, that Romanticism erected as its symbol. The creative force of art is explosive and the true artist is one who will not ever stop to amaze us and surprise us; and mixing emotions and feelings will help us to undue the false universe made only of numbers and pure Reason.

ART BEYOND THE "WALL OF PLANK"

Modern physics is in a position to move backwards in the history of the universe until the very first moments after its origin. The scientists succeed in describing its formation beginning at some infinitesimal second after the moment zero (a number in seconds corresponding to 1 preceded by 43 zeroes). What has been before is not given to us to know. The entire structure of modern physics collapses in front of the attempt to explain what was before a universe billions, billions and billions of times smaller than an atom nucleus. Scientists call this limit the "wall of Plank". In other words, it seems that all our logical and rational faculties are not in a position to know and not even to imagine what is beyond the wall of Plank. It is the extreme limit beyond which the human mind is not capable of going. Jean Guitton only tries to intuit it: "a Total Time, inexhaustible, than has not yet been opened, subdivided in past, present and future (...) If we do not succeed to understand what is behind the wall it is just because all the laws of physics lose out in front of the absolute mystery of God and Creation"[12].

The image stolen from astrophysics can serve to better understand the founding idea of art as a creative process. John Paul II introduces his Letter to the Artists, with the words from the Genesis relative to The Creation: "God looked at everything he had made, and he found it very

molto buona" (Gn 1,31). Le parole iniziali di saluto ricomprendono in pieno questo tema: "Nessuno meglio di voi artisti, geniali costruttori di bellezza, può intuire qualcosa del pathos con cui Dio, all'alba della creazione, guardò all'opera delle sue mani"[13]. C'è qui un aspetto importante di quella partecipazione dell'uomo a Dio, che la Chiesa pone a fondamento della sua antropologia. Al Dio Creatore "ex nihilo" si lega l'uomo creatore o meglio artefice nel creato. Ecco perché: "Nella "creazione artistica" l'uomo si rivela più che mai "immagine di Dio"[14]. Nell'atto creativo all'artista è concesso, seppur imperfettamente, fugacemente di vedere per un attimo cosa c'è al di là "del muro di Plank", di cogliere per un brevissimo istante l'eco del mistero della creazione. Il messaggio teologico di Giovanni Paolo II tocca alla radice il problema profondo della Bellezza ed è straordinariamente ricco di spunti per comprendere la funzione dell'arte nel recupero di senso della nostra epoca.

Questa vocazione artistica, presente in ogni uomo, (giacché a ciascuno di noi è chiesto di trasformare la propria vita in un'opera d'arte), assume per l'artista, artefice e creatore, una dimensione spirituale e religiosa che l'opera d'arte mantiene in sé. Essa, scrive il Pontefice, "in quanto ricerca del bello, frutto di un'immagine che va al di là del quotidiano, è, per sua natura, una sorta di appello al Mistero. Persino quando scruta le profondità più oscure dell'anima o gli aspetti più sconvolgenti del male, l'artista si fa in qualche modo voce dell'universale attesa di redenzione"[15].

Per il cristiano questo appello al Mistero insito nell'arte, trova una delle sue espressioni migliori, nella realizzazione della chiesa-edificio, creazione artistica e segno della comunità.

UNA CHIESA PER LA *CHIESA*

Il sepolcro vuoto è il segno inequivocabile che quel corpo deposto dalla Croce è *altrove*, è nella Chiesa-comunità dei credenti: "Dove sono due o tre riuniti nel mio nome, io sono in mezzo a loro" (Mt 18,20). La Chiesa-comunità, "dimora di Dio per mezzo dello Spirito" (Ef 2,22), è nuovo spazio e nuovo tempo: *tempus* e *templum*, dal greco *temno* "tagliare," cioè "suddividere" cioè "ordinare". La Chiesa di Cristo è la vocazione che ha ordinato il tempo dell'uomo come tempo di grazia ed ogni spazio come presenza; è questo il motivo per cui tra le primissime comunità cristiane il Santo Sepolcro non fu mai ritenuto luogo di culto. Eppure nonostante il suo carattere universale, la Chiesa-comunità ha sentito sempre il bisogno di segnare i confini della propria presenza nei limiti di uno spazio sacro. La chiesa non è solo un luogo di culto; è anche, potremmo dire soprattutto, l'atto del manifestarsi della comunità cristiana, il modo in cui essa si rende esplicitamente visibile. Attraverso la chiesa-edificio, la Chiesa-comunità entra in relazione con il mondo, instaura con esso una *comunicazione*. Scrive a proposito Severino Dianich: "Costruire ed abitare una chiesa è un atto comunicativo che fa parte di questo processo complessivo e complesso della simbolizzazione attraverso la quale avviene la comunicazione ecclesiale"[16]. Questa funzione comunicativa, si scontra oggi con un tratto caratteristico della nostra società del tutto nuovo: la perdita di centralità della religione cristiana. L'inaugurazione della Moschea a Roma, non è il segnale senza speranza di un "mondo che finisce", come vorrebbero i decadenti di ogni risma; ma una nuova sfida che la Comunità dei credenti è chiamata ad affrontare con coraggio e serenità: quella della società multiculturale e plurireligiosa, nella quale l'identità cristiana andrà vissuta sempre più come un *voluto* consapevole e sempre meno come *dato* culturale. Il problema che pone Severino Dianich è di fondamentale importanza: "(...) quale tempio dovrebbe essere il microcosmo dell'uomo in una città come New York piena di chiese di tutte le più diverse confessioni cristiane, di sinagoghe di tutte le diverse branche dell'ebraismo, di templi zoroastriani, di pagode buddiste, di sale del Regno dei Testimoni di Geova, ecc? Questa nuova situazione sembra rendere anacronistica per l'attuale

good" (Gen 1,31).The initial words of greeting comprise fully this theme: "None can sense more deeply than you artists, ingenious creators of beauty that you are, something of the pathos with which God at the dawn of creation lookedupon the work of his hands"[13]. There is here an important aspect of that participation of God with man that the Church places at the foundation of its anthropology. Man as creator or better yet as a maker in creation bonds to the image of God Creator "ex nihilo". Here is why: "In the «artistic creation» man reveals himself more than ever as «image of God»"[14]. In the creative act the artist is granted, although imperfectly, to fleetingly see for a moment what there is beyond "the wall of Plank", to seize for a short moment the echo of the mystery of creation. The theological message of John Paul II touches the root of the deep question of Beauty and is extraordinarily rich of cues for understanding the function of art in the recovery of meaning of our age.

This artistic vocation, present in every man, (given that everyone of us is asked to transform their own lives into a work of art) becomes for the artist, craftsman and creator, a spiritual and religious dimension that the art work contains in itself. It, writes the Pontiff, "in as much as it is a search for Beauty, fruit of an image that goes beyond the daily, is, by its nature, a sort of an appeal to the Mystery. Even when it searches into the darker depths of the soul or the more disturbing aspects of evil, the artist makes himself in some way the universal voice of the awaited redemption"[15].

For the Christian this appeal to the intrinsic Mystery in art, finds one of its better expressions, in the realization of the church-building, artistic creation and sign of the community.

ONE CHURCH FOR THE CHURCH

The empty sepulchre is the unequivocal sign that that body placed on the Cross is elsewhere, is in the Church-community of the believers: "Where two or three are gathered together in my name, there am I in the midst of them" (Mt 18,20). The Church-community, "dwelling place of God in the Spirit" (Eph. 2.22), is new space and new time: tempus and templum, from the Greek temno "to cut", that is "to subdivide" that is "to order". The Church of Christ is the vocation that has ordered man's time as a time of grace and every space as grace's presence; this is the reason why in the very first Christian communities the Holy Sepulchre was never thought of as a place of worship.

Nevertheless in spite of its universal character, the Church-community has always felt the need to mark the borders of its own presence in the limits of a sacred space. The church is not only a place of worship; it is also, we could say above all, the act of of the Christian community's manifestation, the way in which it becomes visible explicitly. Through the church-building, the Church-community enters in a relation with the world, establishes with it a communication. Severino Dianich writes on the subject: "To construct and inhabit a church is a communicative act that is part of this total and complex process of the symbolization through which ecclesiastic communication happens"[16]. This communicative function, today clashes with the all together new characteristic of our society: the Christian religion's loss of centrality. The inauguration of the Mosque in Rome, is not the beacon without hope of a "world that is ending", as the decadents of every realm would want; but a new challenge that the Community of the believers is called to face with courage and serenity: that of the multicultural and plural-religious society, in which Christian identity will be lived more than ever like an intentional desire and less and less like a cultural data. The question that Severino Dianich poses is of fundamental importance: "(...) which temple would have to be the microcosm of man in a city like New York full of churches of all the most various Christian confessions, of synagogues of all the various branches of Judaism, of zoroastrian temples, buddhist pagodas, rooms of the Reign of the Witnesses of Jehova, etc? This new situation seems

edificazione di chiese la pretesa rappresentativa della grande memoria storica del cristianesimo in quanto essa cade in un mondo dalle memorie infrante[17]. È un dubbio legittimo, una provocazione stimolante ma forse eccessiva.

In realtà, la società multireligiosa è comunque confronto, dialogo tra identità diverse. Il vero problema della nostra epoca è l'annullamento di ogni diversità: quel veloce processo di omologazione che annichilendo identità collettive e individuali, svuotando di senso il sacro, lascia spazio ad un relativismo funzionale solo ai grandi processi produttivi ed economici. Se tutto diventa uguale a tutto, vuol dire che nulla ha valore, poiché il valore di ogni cosa è commisurato a quella sua diversità che ne definisce l'identità.

Ecco perché, al contrario, nel "fare" una chiesa è proprio recuperando il filo sottile della memoria che, attraverso la tradizione, unisce una comunità alla propria storia ed al proprio percorso che si può rivendicare ed affermare un'identità diversa dalle altre e radicata in un immaginario simbolico.

La costruzione di una chiesa, la sua decorazione, l'inserimento di forme e immagini, servono alla comunità per autodefinirsi e, nello stesso tempo, farsi identificare. Scrive l'arcivescovo di Poitiers Mons. Albert Rouet: _"In quanto edificio, la chiesa offre un segno della presenza di Dio nel mondo. Costruendola, l'uomo si ricorda di Dio e ricorda Dio agli altri uomini. L'edificio è memoria e segno"_[18].

Vi sono troppe chiese moderne che non sono nè memoria, nè segno nel mondo, ma sono esattamente come il mondo vuole che siano. Se occorre fuggire ogni tentativo di _musealizzare_ la chiesa, occorre con maggiore forza fuggire i tentativi, non sempre inconsapevoli, di annullarne ogni elemento simbolico e testimoniale. La vita della comunità cristiana si muove sempre lungo questa continua tensione tra essere _altro_ rispetto al mondo ed essere _come_ il mondo. L'artista deve riuscire a risolvere questa tensione coniugando continuità e creazione aiutando la Chiesa ad essere _presenza viva_.

Costruire una chiesa, affrescarla, arricchirla di rilievi, non vuol dire semplicemente realizzare un gusto estetico o adempiere ad una funzione sociale; per il cristiano-artista significa dare forma a questa presenza attraverso un insieme di simboli e di forme. Essa è _quel_ luogo e non un altro con cui si può confondere. Ciò che scrive Mons. Rouet è illuminante: _"[La chiesa] non riflette l'ordinarietà della vita, ma ne rivela le profondità e le aspirazioni. Ecco perché ideare una chiesa come un teatro o come un'aula scolastica, o come una sala qualunque, esprime il modo in cui l'uomo vuole definire se stesso....(...) lo spazio ecclesiale, più che essere lo specchio del vivere quotidiano, esprime l'appello a trasfigurarlo. Esso è altro. Ad un mondo di calcestruzzo occorrerebbero le chiese di legno! Perché lo spazio di un chiesa "dice" la Chiesa"_[19].

PER CONCLUDERE

In una chiesa si condensa tutto il significato creativo di un'opera d'arte. Non è certo cosa da poco. L'artista che costruisce, dipinge o scolpisce prende sulle proprie spalle il peso e la responsabilità di trasmetterci un Annuncio.

Scrive Georgij Florovskij: _"(...) nessuno trae profitto dall'evangelo se non si è dapprima innamorato di Cristo"_[20]. Nel mondo dei colori, delle forme, dei suoni, il compito del cristiano nell'arte è quello di aiutare a scatenare questo "innamoramento". Ma si sa un innamoramento è fatto anche di sguardi e complici occhiate. Scrive Jean Guitton: _Ciò che mi piace in Dio, è che vede le persone come sono e che esse sono come lui le vede"_[21].

La vera arte è, quella che c'insegna a _vedere_ al di là dell'apparenza e ci aiuta a cogliere un'occhiata di Dio. In fondo, in questo scambio di sguardi anche fugace si può racchiudere l'intero destino dell'uomo.

---

to make anachronistic our present construction of churches as the representative pretense of the great historical memory of Christianity in as much as it falls in a world of broken memories"[17]. _It is a legitimate doubt, a stimulating one, a stimulating provocation, but perhaps an excessive one._

In truth, the multireligious society is a comparison, a dialogue between various identities. The true problem of our age is the annulment of every diversity: that fast process of homogenization which annihilates collective and individual identities, emptying one of the sense of the sacred, leaving space only for the functional relativism of large production and economic processes. If all becomes equal to everything else, it means that nothing has value, since the value of every thing is proportional to that of its diversity that defines its identity.

Here is why, on the contrary, in "making" a church we recover the thin wire of memory that, through tradition, joins a community to its own history and to the path that it can reclaim and assert a different diversity rooted in an imaginative symbolism.

The construction of a church, its decoration, the introduction of shapes and images, serves the community to self define itself and, at the same time, be identified. The arcihbishop of Poitiers Mons. Albert Rouet writes: "As a building, the church offers a sign of the presence of God in the world. In building it, man remembers God and remembers God to other men. The building is memory and sign"[18].

There are too many modern churches that are neither memory nor sign in the world, but they are exactly like the world wants them to be. If it is necessary to escape every attempt in making a church into a museum, it is also necessary with greater force to escape the attempts, not always unconscious, of annulling every symbolic and testimonial element. Life of the Christian community always moves along this continuous tension between being other than the world and being like the world. The artist must succeed in resolving this tension marrying continuity with creation and thereby helping the Church to be an alive presence.

To construct a church, fresco it, enrich it with reliefs, does not simply mean the fulfillment of an aesthetic taste or a social function; for the Christian-artist it means to give shape to this presence through an array of symbols and shapes. It is that place and cannot be confused with any other. What Mons. Rouet writes is illuminating: "[The church] does not reflect the ordinariness of life, but it reveals life's depths and aspirations. This is why to devise a church like a theatre or a classroom, or any room, expresses the way in which man wants to define himself (...) the ecclesiastic space, more than to be the mirror of daily living, expresses the call to transfigure life. It is other. A world of concrete would need wood churches! Because the space of a church "says" the Church"[19].

CONCLUSION

All the creative significance of a work of art condenses in a church. It is surely not an insignificant thing. The artist that constructs, paints or carves takes on his/her own shoulders the weight and the responsibility of conveying to us an Announcement.

Georgij Florovskij Writes: "(...) nobody draws profit from the gospel if he/she is not at first in love with Christ"[20]. _In the world of colors, of shapes, of sounds, the task of the Christian in art is to help trigger this falling in love. But falling in love is made also of looks and knowing glances. Jean Guitton writes: "What I like about God is that he sees people as they are and they are as he sees them"_[21].

True art is that which teaches us to see beyond appearances and helps us catch a glimpse of God. In the end, in this exchange of looks even fleetingly, man's entire destiny could be contained.

1 E. Munch, *The Frieze of Life*, London 1992, p. 92

2 F. Nietzsche, *Così parlò Zarathustra* (trad. ital. Adelphi, Milano 1983).

3 A. Savinio, *Introduzione a "La Città del Sole"*, Milano 1998, p. 18.

4 J. Guitton, *Il mio testamento filosofico* (trad. ital. Mursia, Milano 1997), p.124.

5 *Fides et Ratio*, p. 134

6 P. Valéry, *La crisi del pensiero* (trad. ital. il Mulino, Bologna 1994), p. 61.

7 *Fides et Ratio*, p. 37.

8 *Fides et Ratio*, p. 123.

9 E. Cioran, *Précis de décomposition*, Paris 1977, p.171.

10 E. Jünger-M. Heidegger, *Oltre la Linea* (trad. ital. Adelphi, Milano 1989), p. 99.

11 *Fides et Ratio*, p. 40.

12 J. Guitton, *Dio e la scienza* (trad. ital. Bompiani, Milano 1998), p. 29.

13 *Lettera agli artisti*, p.3.

14 *Ibidem*, p.5.

15 *Ibidem*, p.21

16 S. Dianich, *Edificare una chiesa, abitare e celebrare in un luogo*, in AA.VV., *Spazio e Rito. Aspetti costitutivi dei luoghi della celebrazione cristiana* (Centro Liturgico Vincenziano, Roma 1996), p. 28.

17 *Ibidem*, p.33

18 A. Rouet, *Arte e liturgia* (trad. ital. Libreria Editrice Vaticana, Città del Vaticano 1994), p.78

19 *Ibidem*, pp. 84-5-

20 G. Florovskij, *Cristo, Lo Spirito, La Chiesa* (trad. ital. Edizioni Qiqajon, Comunità di Bose 1997), p. 28.

21 J. Guitton, *Il mio testamento filosofico*, op. cit., p. 223.

Hamilton Reed Armstrong:
Trinità, bronzo - 1975
Trinity, bronze - 1975

Enrico Galeazzi:
Chiesa di: S.Eugenio - Roma, 1951
Church of: S. Eugenio - Rome. 1951

L'ALTRA MODERNITÀ NELL'ARCHITETTURA LITURGICA DEL XX SECOLO
THE OTHER MODERN IN TWENTIETH CENTURY LITURGICAL ARCHITECTURE

Cristiano Rosponi

Josè Cornelio Da Silva:
Chiesa di Azoia - dettaglio, 1995
Church of Azoia - detail , 1995

"Oggi, in una epoca in cui si costruisce in tutti gli stili e con tutti i gusti senza che nessuno si preoccupi della costruzione vicina, non siamo più al bel tempo quando si ignoravano i problemi di stile e gli edifici si armonizzavano naturalmente gli uni con gli altri e con l'insieme dell'ambiente".
C. Sitte *"L'arte di costruire le Città"*

"Al fine di garantire la durata dell'edificio e per il rispetto dovuto a quanto i fedeli hanno offerto con generosità, si scelgano materiali tradizionali, sperimentati, durevoli, noti per le loro caratteristiche, evitando sperimentazioni e tecniche inedite che comportano rilevanti spese di manutenzione nel breve periodo".
La progettazione di nuove chiese Nota pastorale no. 29

Durante l'ultimo e recente viaggio in Assisi, il primo dopo l'infausto terremoto che ha rischiato di minare tale "Gerusalemme Celeste", sono venuto a conoscenza di un fatto che, devo dire, per distrazione o superficialità non si era, prima di allora, mai impresso nei miei pensieri: le reliquie del Santo di Assisi giacciono oggi, per volere di Papa Paolo VI, che volle riesumarle per confermare l'identità del Poverello, in un contenitore di plexiglas, naturalmente ricollocato nell'urna originaria e posta al di sotto dell'altare maggiore della basilica inferiore. Ora, posso solo immaginare gli scrupoli e le angosce che avranno attanagliato i Rappresentanti della Chiesa di allora i quali, nel pieno riconoscimento dell'imperativo della conservazione di un tale patrimonio che è messaggio universale di fede e di speranza, hanno dovuto sacrificare le volontà ultime del Santo che desiderò andare incontro a "Sorella morte" al contatto con la nuda terra, per cui Lo abbiamo trovato adagiato con il capo su un cuscino di pietra, nella pietra, protetto da una gabbia di ferro infine annegato nel conglomerato cementizio, a 2m di profondità. Sappiamo, infatti, noi architetti, quanto innaturale sia quel materiale

"Today, in an age in which buildings are erected in all styles and for all tastes without regard for the neighbouring buildings, we are no longer in that happy time in which problems of style were unknown and buildings harmonized naturally with each other and the environment"
C.Sitte "The Art Of Building Cities".

"In order to guarantee the solidity of the building and for the respect due to the generous offers of the faithful, traditional, tried, tested, and lasting materials are chosen, avoiding experimentation and untried techniques which require, in a short time, expenses for maintenance".
Pastoral note no.29: The design of New Churches.

During my last and most recent visit to Assisi, after the tragic earthquake which risked destroying this "Heavenly Jerusalem", I learned a fact that, I must admit, either by reason of distraction or superficiality, had never before occurred to me: the relics of the Saint of Assisi repose today, at the request of Pope Paul VI, who would like to retrieve them in order to confirm the identity of the Poverello, in a plexiglass container, placed, of course, in the original urn and which is located below the high altar of the lesser basilica. Now, I can only imagine the scruples and the anguish which must have gripped the Representatives of the Church of the time, who, fully aware of the need to conserve a similar patrimony, which is a universal message of faith and hope, found themselves in the position of having to sacrifice the last wishes of the Saint who wanted to meet "Sister death", in contact with the bare earth, thus we have found Him, with his head resting on a stone pillow, within the stone, protected by an iron cage submerged in a concrete aggregate two meters below ground. We architects know how unnatural that material plastic is, its identity ambiguously situated

plastico, non privo sicuramente di crisi di identità nella sua ambigua natura di vetro-pvc. Materiale che seppur in larga parte utilizzato nelle fabbriche architettoniche moderne, risulta così poco resistente agli agenti atmosferici, da rendere vana la sua funzione di trasparenza dopo solo qualche mese. Diverso, infatti, sarebbe stato un contenitore in legno ben trattato o in mattoni ben legati tra loro da una ottima malta cementizia; questi sono materiali naturali, che interagiscono con l'ambiente in eterna trasformazione, ai quali, tuttavia, sarebbe bastato il più fievole respiro della terra per ritornarvi, con buona pace delle coscienze.

Probabilmente, per allora, quel materiale, doveva essere sicuramente il più valido strumento di conservazione, per tali importanti reliquie.

"I progressi della scienza ci rendono evidente la grandezza del Creatore, dal momento che permettono all'uomo di realizzare un'esistenza dell'«Ordine Divino» inscritto nella creazione". (Giovanni Paolo II)

Questo è il punto: la tecnologia è un dono prezioso, essa protegge e conserva, ma non si conserva; migliora la vita, ma non la crea. la Natura al contrario, lo sapeva bene Francesco, non conserva la vita così come la morte, ma dona entrambe, nella gioiosa rincorsa dei suoi cicli eterni, che dalla Genesi ad oggi Dio ci concede di vivere.

Ciò che è naturale, contrariamente all'artificiale, riceve dal giorno della creazione il carisma della vita, scusate se è poco. Nessuno mette in discussione il beneficio immenso, ormai irrinunciabile, procurato dalla tecnologia in tutti i campi della vita civile, purché però essa venga considerata semplice bene strumentale, in tal modo essa non è demonizzata ne è assunta a funzione demiurgica. Merita invece di essere contestata quando, senza freni, essa irrompe dall'attività del tecnologo e non dalle necessità dell'uomo, con la pretesa di subordinare a sé il vivere di una società.

Così, in questi ultimi anni, soprattutto nei paesi a più antica tradizione Cattolica, sono sorte chiese che invece di rappresentare simbolicamente la presenza e la manifestazione del Sacro, quindi dotate di una intrinseca capacità di manifestare tale dimensione "altra" e sottratte al mondo profano, alle sue regole e alle sue consuetudini, hanno privilegiato il puro tecnicismo, fine a se stesso, più inclini ad assomigliare alla Torre di Babele, che simbolo della *Ianua Coeli*.

Eppure quanti brividi alla vista della piccola Porziuncola e al pensiero che ogni pietra di cui è composta sia stata raccolta, sollevata, levigata dal Frate di Assisi, magari passata a qualche compagno forse meno gracile di Lui (qualcuno tra coloro che ora Lo vegliano in un circolo eterno) a umile compimento del comando onirico ricevuto da Gesù. E vien da accarezzare ogni venatura per ripercorrere con il pensiero, ad occhi chiusi, i momenti preziosi della vita del Santo, al pari di una effigie della Madonna o di Gesù che si consuma al continuo gesto di venerazione nei percorsi processionali.

Queste sono le "pietre vive", quella è la Chiesa, il costruttore è l'uomo, discendente di Pietro, il Santo, l'architetto. Il Committente è Cristo.

Ora, la Storia dell'architettura ci insegna che tutte le fabbriche religiose "edificate sulla roccia", nell'assoluta diversità degli stili che hanno sempre contraddistinto le varie epoche, non solo sono state costruite Petrus Petra, ma sono sempre state edificate secondo una continuità con ciò che era prima. Basti pensare alle basiliche paleocristiane che, ricostruite e ingrandite per rispondere alle nuove esigenze liturgiche, di capienza o anche solo per ricostruire le parti distrutte da qualche accidente, sono giunte a noi in uno stile complessivo diverso dall'originario, rispondente ai gusti dell'epoca, ma mai stravolgendo l'identità originaria. Si pensi ai concorsi clementini per la facciata di S. Maria Maggiore per aggiungere la nuova facciata e non più sostituire o adeguare la facciata originaria.

Bene, tale modo di procedere nella costruzione delle Chiese si è conservato, contrariamente a quanto la storiografia ufficiale vuol darci ad intendere, finanche in questo attuale secolo volgente ormai al termine. Seppur con ripetute "cadute di stile" (chi non ne ha?)

somewhere between glass and pvc.

A material which, although much used in modern architectural buildings, is so poorly resistant to the naturals elements that its transparency disappears within a few months. Quite different, in fact, would have been a container of well-treated wood or in bricks held together by a good quality of cement. These are natural materials which interact perpetually with the environment in eternal transformations to which, however, the weakest breath of the earth is sufficient to return to it, giving peace to the conscience.

Probably, for the time that such a material would have been the best material for the conservation of such important relics.

"Achievements of science make apparent to us the greatness of the Creator, since they allow man to realize an existence of the Divine Order inscribed in the creation" (John Paul II). This is the point: technology is a precious gift. It protects and conserves, but it does not conserve it self, it improves life, but it does not create it. Nature, on the other hand, as Francis well knew, does not conserve life as it does death, but gives both, in the joyful leaps of its eternal cycles, which from Genesis to today allow us to live.

That which is natural, as opposed to that which is artificial, receives the charism of life from the day of creation (sorry if it seems too little). No one questions the enormous benefits to all aspects of daily life, now considered essential, which derive from technology, as long as these continue to be looked upon as simple, useful benefits. In this way these benefits are not seen as demons, nor do they assume a demiurgic function. They ought to be challenged, however, when they become technological activities that serve the ends of technology rather than the ends of mankind, thus subordinating the life of society to technology.

In the last few years, and above all in countries with a long-standing Catholic tradition, there have arisen churches which, instead of representing symbolically the presence and manifestation of the Sacred, therefore equipped with an intrinsic capacity to manifesting the "other" dimension and recusing themselves from the profane world, from its rules and usages, have on the other hand privileged pure technicality, an end in itself, more inclined to resemble the Tower of Babel than the symbol of the Ianua Coeli.

And yet, what a thrill is felt at the sight of the little Porziuncola, and at the thought that every stone which goes to make it up was collected, and made smooth by the Frate of Assisi, and perhaps passed on to a companion less fragile than he, (someone now among those who, in an eternal circle, keep watch over Him, encircling Him), a humble way of obeying the oneiric command received from Jesus. And the desire to stroke touch again, in order to follow in thought, with eyes closed, the precious moments in the life of the Saint, like a statue of the Madonna or of Jesus which is worn away by the continuous strokes touches of veneration received in the course of sacred processions.

These are the "living stones," that is the Church. The builder is man, a descendant of Peter, the Saint, the architect, Christ is the patron.

At the present time, the history of architecture teaches us that all religious buildings, "built upon the rock" in that complete variety of styles which has always marked the several different eras, have not only been constructed "Petrus Petra", but they have been built also in a manner which provides continuity with that which went before. It suffices to consider the pre-Christian basilicas, which, rebuilt and enlarged to meet changing requirements of the liturgy, of size, or simply to rebuild or repair the damage resulting from some accident, have come down to us in a style which is different from the original one, thus following the taste of the times, and never distorting the original identity. Consider the Clementine competitions for the facade of St. John, to add the new facade, neither to substitute a new one nor to repair the ancient one.

Well, this manner of proceeding in the construction of churches has been maintained, contrary to what the official history would have us

l'architettura che noi chiameremo tradizionale, per indicare una continuità con gli stilemi del passato, ha pervaso il XX secolo con alcune delle più interessanti realizzazioni nel campo dell'architettura liturgica (si pensi solo alla produzione di Joze Plecnik), che se nel campo dell'urbanistica e dell'architettura civile pubblica è ormai ampiamente indagata e aperta alla sensibilità di gran parte dell'opinione pubblica, nel nostro caso meriterebbe un approfondito studio storiografico con opere di censimento e catalogazione (non esiste in Italia un censimento delle chiese dal primo dopoguerra al Concilio Vaticano II, mentre esistono dettagliati studi delle chiese moderniste degli anni 70-80).

La Chiesa di S.Eugenio nel quartiere romano delle Belle Arti, sede all'inizio del secolo dell'Esposizione Universale e da allora costellato dalle bellissime sedi neoclassiche delle Accademie d'Arte di tutto il mondo, è un pregevole esempio di architettura classica di questo secolo, ma che non disdegna l'introduzione di elementi di modernità, quegli stessi elementi che testimoniano la sua appartenenza al secolo attuale non fosse altro per le tecnologie utilizzate.

Progettata nel 1942 dall'architetto Enrico Galeazzi, essa sorge sui terreni dell'Ordine dei Cavalieri di Colombo, ad un lato della via che dal Ponte Risorgimento porta verso la vignolesca Villa Giulia, un tempo residenza estiva del Papa Giulio III e oggi sede del Museo Etrusco, leggermente defilata dall'asse della Via Flaminia e a due passi dalla bellissima piccola Chiesa in peperino di S.Andrea, anch'essa del Vignola.

La chiesa è stata completata nel 1951, dopo l'interruzione dei lavori dovuta ai sopraggiunti eventi bellici.

La facciata a due ordini in travertino non nasconde, anzi ostenta, nelle sue rigide proporzioni, l'influenza dell'architettura Gesuitica della Controriforma, depurandola dalle forme volutamente plastiche e celebrative, lasciando la narrazione simbolica a poche figure scultoree sui portali (la Giustizia e la Pace attorno al monogramma di Gesù) e sul secondo ordine (Evangelisti). L'Ordine Corinzio della facciata è elegante e accoglie tra le foglie d'acanto figure umane porgenti i simboli papali, accentuando la costruzione antropomorfica dell'ordine stesso.

Sommesso tributo al Vignola, gli restituisce gli intenti di sobrietà soperchiati nella facciata del Gesù dal Della Porta.

Alla bianca facciata romana, fa da contrappunto la rossa struttura muraria che colloquia con la preesistente Accademia di Educazione Fisica presso il vicino Foro Mussolini di Enrico del Debbio. Il tiburio con i suoi 55 mt di altezza e i 13 mt di diametro, arricchisce lo sky-line di una forma archetipica tradizionale per quei luoghi di cui non solo è costellato il cammino che il pellegrino si trovasse a percorrere dalla Piazza Venezia lungo tutta la zona del Tridente, fino al cospetto delle chiese gemelle nella P.zza del Popolo, ma che introduce un elemento di modernità che si ritroverà in seguito in diversi esempi di chiese a croce latina degli anni '70 (S. Maria Regina degli Apostoli alla Montagnola).

Accanto alla Basilica un Battistero esterno ornato con un antico mosaico romano occupa il centro di un elegante chiostro.

Si tratta di un vero e proprio dono che i fedeli di tutto il mondo hanno voluto rendere al Papa Eugenio Pacelli e come ogni dono che si rispetti ha voluto essere prezioso, così nella cura dei dettagli esterni come per quelli interni che portano la firma dei nomi più rappresentativi dell'arte sacra e non, da Monteleone a Nicolini, da Persichetti a Manzù.

Prezioso come un regalo firmato, donato da un figlio devoto alla propria Madre.

Un'altra pregevole fabbrica è quella di S. Leone I. Costruita anch'essa nel 1951, essa insiste su un'area devastata da un'arteria stradale sopraelevata moderna, all'interno del popolare quartiere Pigneto dei primi del secolo.

La sua sobria facciata in mattoni, liscia e priva di decorazioni, con l'eccezione di un grande e sobrio rosone marmoreo a fiore, rimanda

believe, even in the present century which is now coming to its end. Even if, with repeated "lowerings" of style, (who does not possess?), the architecture which we call traditional, as a means of indicating a continuity with the past, has pervaded the twentieth century providing some of the most interesting buildings in the field of liturgical architecture, (consider the work of Joze Plecnik), that if, in the field of town planning and civil public architecture it is now amply investigated and open to the sensibility of a large part of the public opinion, in our case it deserves a thorough historical study with a census of the churches from the period immediately after the war to the Second Vatican Council (while there are detailed studies of the modernist churches of the seventies and eighties).

The Church of St. Eugenio, in the neighborhood of the Belle Arti in Rome, the seat at the beginning of the century of the Universal Exposition and, from that time on, surrounded by the beautiful neo-classic offices of Academies of Art from all over the world, is a valuable example of the classic architecture of this century. It does not disdain the introduction of modern elements, those same elements which testify to its belonging to the present century, if for by nothing else than the technology used. Designed in 1942 by the architect Enrico Galeazzi, it is built on land belonging to the Knights of Columbus, on one side of the street which runs from Rinascimento bridge toward the Villa Giulia by Vignola, which was once the summer residence of Pope Julius III and today is the site of the Etruscan Museum, slightly defiled by the axis of Via Flaminia and quite close to the beautiful little peperino Church of San Andrea, which is also by Vignola.

The church was completed in 1951, after work had been interrupted by the war.

The travertine facade does not hide, but rather displays, by means of its rigid proportions, the influence of the Jesuitical architecture of the Counter Reformation, cleanses it of the deliberately plastic and celebratory forms, and leaves the symbolic narrative to a few figures sculpted on the doors, (Justice and Peace around the monogram of Jesus and, on the second order, the Evangelists). The Corinthian Arrangement of the facade is elegant and shows, among the acanthus leaves, human figures offering the papal symbols, accenting the anthropomorphic construction of the order itself. It is a humble tribute to Vignola which restores to him the sobriety overwhelmed in the facade of the Gesu by Della Porta.

A counterpoint to the white Roman facade is provided by the red stone structure which converses with the pre-existing Academy of Physical Education close by the neighboring Mussolini Forum by Enrico del Debbio.

The tiburium, which is fifty-five meters high and thirteen meters in diameter, enriches the skyline by an archetypal form, traditional for those places in which are studded with by paths which the pilgrim finds to cover the way, from Piazza Venezia along the zone of the Trident as far as the twin churches in Piazza del Popolo, and adds a modern element which can later be found in different examples of churches in the form of the Latin Cross, built in the seventies. (S. Maria Regina degli Apostoli at the Montagnola).

This is a real gift of which the faithful throughout from all over the world wished to present to Pope Eugenio Pacelli. And as a gift worthy of the recipient, they wanted it to be a precious one, in its external details as well as in its internal details which are signed by the most important names in both sacred and profane art, from Monteleone to Nicolini, from Persichetti to Manzu.

Precious like a gift signed by a famous designer from a devoted son to his Mother.

Another valuable building is that of San Leone I. This too was built in 1951 on an area devastated by a modern elevated road, inside the popular neighborhood of the Pigneto which dates to the beginning of the century.

Francesco Fornari
Chiesa dell'Ascensione di N.S.G.C. - Roma, 1942
Church of Ascension of O.L.J.C. - Rome, 1942

senz'altro all'architettura Francescana della chiesa dell'Ara Coeli, ma trova un riferimento geograficamente più vicino nella Chiesa di S. Lorenzo, presso il Cimitero Monumentale Verano.

L'alto e longilineo campanile si erge quasi a presagio delle costruzioni di dieci e più piani che di lì a poco sarebbero sorte intorno; delle semplici mensole di travertino sostengono la struttura campanaria, mentre diverse bande di travertino bianchissimo rimandano ai campanili romanico-saraceni del basso Lazio.

Una splendida semplicissima grande Croce in travertino risplende sulla sommità della cornice, adorata da due tenerissimi Angeli anch'essi in travertino.

L'interno conferma i richiami all'Architettura Romanica con soffittatura lignea, con l'impiego di un bellissimo e essenziale Ordine Ionico che mostra la sua modernità nello stravolgimento delle proporzioni del capitello, pur nel rispetto degli elementi compositivi. Una operazione del genere si può ritrovare nelle elaborazioni di Joze Plecnick a Lubiana, nel Cimitero di Pale, come nella Chiesa di S. Francesco.

Siamo già in periferia, e questa bellissima chiesa potrà aspirare a ricoprire un ruolo centrale nella ristrutturazione urbanistica che tale quartiere, nell'ottica, speriamo, di una riorganizzazione policentrica della città, potrebbe subire nel prossimo decennio, condizionando la strutturazione degli spazi pubblici della Comunità cittadina con il suo alto valore simbolico religioso, segno di Dio in mezzo agli uomini, e di riferimento storico.

Due Chiese di pietre, due esempi di architettura liturgica che valorizzano non solo la grande tradizione architettonica ecclesiale, ma anche la tradizione locale; due chiese che aggiungono *"... la propria voce al mirabile concerto di gloria che uomini eccelsi innalzarono nei secoli passati alla fede cattolica"*. (Sacrosanctum Concilium no. 123).

Ma ne esistono, soltanto a Roma, decine di altre, come la dignitosissima Chiesa dell'Ascensione di Nostro Signore Gesù Cristo, nella borgata Gordiani all'estrema periferia Est, del 1942, o la più recente Chiesa dell'Assunzione di Maria Santissima nel quartiere Tuscolano a Roma del 1954.

Testimonianze di una tradizione millenaria di concepire la città e i suoi monumenti che ha arricchito le nostre città; tradizione che ha continuato ad esistere anche in questo secolo, varcando i confini dei centri storici e che è continuata nei primi anni di ricostruzione post-bellica, ma che è oggi minata dall'ideologia modernista che ha ridotto l'edificio-chiesa ad astratto contenitore, avulso dalla città che le cresceva o le sarebbe cresciuta attorno e riducendo altresì il ruolo dell'architetto ad una mera attività tecno-economica, concedendogli solo una vaga valenza di organizzazione del territorio o peggio, facendolo *"verbo"* delle ideologie totalitarie.

Eppure, ancora oggi, le realizzazioni di alcuni degli architetti cattolici più rappresentativi nel panorama architettonico internazionale, e il preziosissimo contributo di artisti di fede ortodossa, evidenziano gli aspetti più versatili dell'architettura tradizionale classica nella costruzione di edifici liturgici, e la sua adattabilità tanto ai mutamenti funzionali e tecnici quanto alle trasformazioni politiche, sociali e religiose.

Non si tratta di indagini anacronistiche e velleitarie, bensì di veri progetti, realizzati grazie a committenti sensibili ad una rinascita di un'architettura oramai minoritaria, progetti che dimostrano quanto sia ancora viva e pulsante l'esigenza di ricollegarsi, nel progettare uno spazio Ecclesiale, alla tradizione delle severe chiese romaniche, alle imponenti cattedrali gotiche, alle preziose chiese barocche e a quel senso del Sacro che esse hanno trasmesso e conservato nel corso del tempo.

Lo dimostrano la Cappella del Corpus Christi di Antony Delarue e il progetto di una chiesa suburbana di Jan Maciag in Inghilterra; Il progetto di Helmut Peuker per una chiesa in periferia in Germania; l'iconostasi delle chiese ortodosse distrutte dal regime comunista e l'attività urbanistica dell'International Urban Studio Design in Russia;

Its sober brick facade, smooth and undecorated, with the exception of a large, sober, flower-shaped rose window, doubtlessly harks back to the Franciscan architecture of the church of the Ara Coeli, but finds geographically closer reference in the church of San Lorenzo, near the Monumental Cemetery of Verano.

The tall, slim bell tower rises, almost as a omen of the buildings more that ten stories high and higher which shortly thereafter would arise around it; simple shelves of support the bell tower, while several bands of very white travertino remind Romanesque - Saracen bell towers of lower Lazio.

A large travertine Cross, simple but splendid, shines on the top of the cornice, adored by two delicate travertine Angels.

The inside confirms the references to Romanesque architecture with wooden ceilings, with the use of a very beautiful, essentials Ionic Order which shows its modernity in the complete changes in the proportions of the capital, respecting, however, the constituent elements. An operation of this sort can also be found in the elaborations of Joze Plecnik in Ljubljiana, in the Cemetery in Pale, as well as in the church of Saint Francis.

We are already in the suburbs and this very beautiful church aspires to a central role in the urbanistic redeveloping of the neighborhood, with the intention, it is to be hoped, of polycentric reorganisation of the city. This church could, in the next ten years, condition the structure of the public areas of the Community with its high symbolic, religious value, a sign of God in the midst of men and an historical reference.

Two stone churches, two examples of liturgical architecture which valorise not only the great tradition of ecclesiastical architecture, but also local traditions; two churches which add "...it's own voice to that wonderful chorus of praise in honor of the Catholic faith sung by great men in times gone by." (Sacrsanctum Concilium no. 123).

But there are, in Rome alone, tens of others, like the most very dignified Church of the Ascension of Our Lord Jesus Christ built in 1942 in the working class suburb of Gordiani in the extreme Eastern suburb or the more recent Church of the Assumption Of Mary Most Holy, in the Tuscolano neighborhood of Rome, which dates to 1954.

Testimonies to a thousand year old tradition of the way of conceiving the city and its monuments which has enriched our cities, a tradition which has continued in the present century as well, crossing the borders of historical centers, and which continued through the early years of post-war reconstruction, but which, today, undermined by the modernist ideology which has: reduced the church building to an abstract container, uprooted by the city which raised it or which would have grown around it, thus reducing as well the role of the architect to a mere technical-economic activity, conceding to it only a vague value of organisation of the territory or, worse, giving voice to the totalitarian ideologies.

And yet, even today, the works of several of the catholic architects, most representative in the panorama of international architecture and the very precious contribution of orthodox artists, show the most versatile aspects of traditional classic architecture in the construction of liturgical buildings and its adaptability to both functional changes and techniques and political, social and religious transformations.

It is not a question of anachronistic and unrealistic surveys, but rather of real projects, carried out thanks to enlightened patrons, sensitive to a rebirth of an architecture now in the minority, projects which demonstrate how alive and active is the need to reconnect, in the design of the Ecclesiastical spaces, with the tradition of the severe Romanesque churches, with the imposing Gothic cathedrals, to the precious Baroque churches, to that sense of the Sacred which they have both transmitted and conserved over time.

this is demonstrated by the Chapel of Corpus Christi by Antony Delarue and by Jan Maciag's project for a suburban church in England; the project by Helmut Peuker for a church in a suburban area in Germany; the iconostasis of the orthodox churches destroyed by the communist regime in Russia; the deep-rooted constructions of Keefe

le radicate realizzazioni dei Keefe Associates negli Stati Uniti, nobili eccezioni, strenue retroguardie, forse troppo lontane, o tragicamente fiere, a cui giunge inascoltato il comando della ritirata. Minoranza dunque di architetti, ma non di fedeli, i quali, quando sono chiamati in prima persona nella raccolta dei fondi per la costruzione di una cappella o di una parrocchia scelgono un'architettura tradizionale o vernacolare, come nel caso della Chiesa di Azoia di Cornelio Da Silva in Portogallo. Se da una parte il palese fallimento della città moderna ha portato a una notevole ripresa di interesse nei riguardi dell'architettura tradizionale da parte dei governanti, nella costruzione degli edifici liturgici la risposta modernista a tale crisi continua ad essere insufficiente, come il Papa stesso ha avuto modo di osservare tramite le parole del Vescovo Vicario S. E. mons. Camillo Ruini.

Così se nelle piccole comunità rurali del Connecticut o dell'occidentalissima Azoia, dove maggiore è il radicamento dei fedeli e più diretti i rapporti nella Comunità ecclesiale, è presente e viva una reale sensibilità verso l'architettura a misura d'uomo, nelle grandi metropoli, segno tangibile della società post-cristiana della divisione e luoghi della solitudine, laddove il Papa individua il principale terreno futuro di evangelizzazione da parte della Chiesa, continuano a sorgere Chiese che, invece di assumere sacramentalmente la crisi dell'uomo contemporaneo, trasformandosi in simbolo reale del Corpo di Cristo, ossia della Sua Chiesa, accettano supinamente le correnti di pensiero più laiciste: la Cattedrale Cattolica di Los Angeles di Frank Ghery, la Chiesa di Tor Tre Teste a Roma di Richard Meyer, simbolo della Chiesa del Nuovo millennio e puntualmente definita dal prof. Benedetti *Tempio New Age"*(Progetto Culturale per i cattolici italiani, Proposte dell'U.C.I.Tecnici, atti del Convegno), via via passando per i numerosi concorsi ad inviti, per altrettante chiese di importanti città italiane, in cui il principale requisito d'ammissione sembra essere il non professare la fede cattolica.

Si tratta dunque di sfatare il mito della modernità a senso unico, indagando, al di là della storiografia ufficiale, l'altra modernità che traspare da una attenta e sincera lettura dell'architettura liturgica del XX secolo e la cui quasi totale scomparsa sembra essere più rispondente a intenti politico-strategici che dettata da mere considerazioni di ordine di mercato.

È la tattica del serpente nel Paradiso Terrestre, quella di denigrare i doni che abbiamo ricevuto, considerandoli non come valore e confronto, bensì come limite alla libertà di espressione, con l'arrogante illusione di diventare creatori: *"Diventereste come Dio"* (Gen 3, 5-6).

Restituire e continuare tale patrimonio appartenente alla Chiesa del XX secolo, significa oltrecchè un atto d'amore verso la Chiesa stessa, un immenso contributo alla storia dell'architettura di questo secolo.

Solo da un vero amore, legato a una reale conoscenza, può venire un'assunzione di responsabilità da parte di noi architetti nella ricostruzione della nostra Chiesa che, come Francesco nell'umiltà della nostra Fede, ma deboli, nella superbia del nostro sapere, non concepiamo che come il portare pietre vive al cantiere, in totale comunione con la Comunità Ecclesiale, per restituire all'edificio-chiesa la capacità di esprimere degnamente il Mistero che edifica il Popolo di Dio.

Portavoci di una cultura architettonica tradizionale radicata nel secolo attuale, la Basilica minore di S.Eugenio, la Chiesa parrocchiale di S.Leone I, così come la Chiesa Parrocchiale di Azoia, sono solo alcuni degli esempi che continuano ad arricchire le nostre città senza stravolgerne l'identità, sommesse amiche e umili sentinelle della nostra altrettanto umile testimonianza di Fede.

associates in the United States, noble exceptions, valiant rearguards, perhaps too far away, or too tragically proud to which the command to retreat arrives unheeded.

A minority, therefore, of architects, but not of the faithful, who, when called upon individually in the collection of funds for the construction of a chapel or a parish choose traditional or vernacular architecture, such as that found in the Church of Azoia by Cornelio Da Silva in Portugal. If, on the one hand, the obvious failure of the modern city has led to a noteworthy renewal of interest with respect to traditional architecture on the part of governments, the modernist's reply to this remains insufficient, as the Pope himself observed through the words of the Vice Bishop, H. E. Monsignor Camillo Ruini.

Thus, if in small rural communities in Connecticut, or the very western Azoia, where the rootedness of the faithful is greater and the relationship with the ecclesiastic Community more direct, there is a real and vital sensibility toward architecture at the measure of man, in the big cities, a tangible sign of the post-christian society of separation, and solitary places, in which the Pope sees the principal territory for future evangelization by the Church, churches continue to be built which, instead of assuming the crisis of contemporary man sacramentally, transforming itself in a real symbol of the Body of Christ, that is of His Church, accept supinely the currents of the most secular thought: the Cathedral of Los Angeles by Frank Ghery, the Church of Tor Tre Teste in Rome by Richard Meyer, symbol of the church of the New Millennium and punctually defined by Professor Benedetti, "Temple of the New Age" (Cultural Project for Italian Catholics, proposals by U. C. I. Technicians), one by one passing through numerous competitions by invitation, to as many churches in important Italian cities, in which the principal requisite for admission seems to be that of not being of the Catholic faith.

It is necessary, therefore, to destroy the myth of modernism in one direction only, rediscovering the other modern which emerges from a careful and sincere reading of the literature of liturgical architecture of the twentieth century, the almost total disappearance of which seems more to respond to political-strategic aims, that dictated by mere marketing considerations.

That is the tactic used by the snake in the Garden of Eden, to reject the gifts we have received, presenting them not as values and means of comparison, but as a coercion of freedom of expression, with the arrogant hope to be creators. "You will be like gods" (Gen 3, 5-6).

Restore and continue such a patrimony belonging to the Church of the twentieth century, signifies as well an act of love toward the Church itself, an immense contribution to the history of the architecture of this century.

Only from a true love, linked to a real knowledge, can there come the assumption of responsibility on the part of us architects in the construction of our Church which, like Francesco, in the humility of our Faith, but weak, in the pride of our knowledge, we do not but conceive as carrying living stones to the building yard, in total communion with the Ecclesiastic Community, to give back to the building-church the capacity to express worthily the Mystery which builds the People of God.

Speaking for a traditional architectonic culture, rooted in our present century, the minor Basilica of San Eugenio, the parish Church of San Leone I, in the same way as the Parish church of Azoia, are only some of the examples which continue to enrich our city without distorting its identity, humble friends and sentinels of our equally humble testimony of Faith.

Chiesa dell'Ara Coeli - Roma
Church of Ara Coeli - Roma

Josè Cornelio Da Silva:
Chiesa di Azoia - dettaglio, 1995
Church of Azoia - detail, 1995

RESTAURO E PROMOZIONE DELL'ARCHITETTURA SACRA
RESTORATION AND PROMOTION OF SACRED ARCHITECTURE

Duncan G. Stroik

Kevin Buccellato:
Chiesa di Santa Maria, dettaglio - anno 1998
St. Mary's Church, detail - fall 1998

"Fra le più nobili attività dell'ingegno umano sono annoverate, a pieno diritto, le belle arti, soprattutto l'arte religiosa e il suo vertice, l'arte sacra. Esse, per loro natura, hanno relazione con l'infinita bellezza divina che deve essere in qualche modo espressa dalle opere dell'uomo, e sono tanto più orientate a Dio e all'incremento della sua lode e della sua gloria, in quanto nessun altro fine è stato loro assegnato se non quello di contribuire il più efficaciemente possibile, con le loro opere, a indirizzare religiosamente le menti degli uomini a Dio".
Sacrosanctum Concilium no. 122

Come possiamo recuperare il senso del sacro nei nostri templi e santuari? Sembra che abbiamo perduto l'abilità di fare costruzioni che trasudino l'ineffabile senso del "Sacro", che potrebbe essere giustamente definito la presenza dell'Onnipotente. Poiché tra le chiese costruite negli ultimi decenni sono poche quelle che manifestano la sacralità dell'edificio e delle celebrazioni che vi si svolgono all'interno: la liturgia, il Matrimonio, l'Unzione, la Comunione, la Confessione, le Ordinazioni, il Battesimo, i Funerali. Le più recenti strutture ecclesiastiche sembrano di questo mondo più che dell'altro, terrene piuttosto che celesti, secolari più che sacre. In quest'epoca secolarizzata le nostre case di culto, mescolandosi all'architettura contemporanea, rischiano di diventare teatri e sale di riunione piuttosto che luoghi sacri e profetici.
Ma perché dovremmo cercare di promuovere e recuperare un'architettura sacra se essa è andata perduta? Perché fa parte del nostro patrimonio Cattolico allo stesso modo delle immagini dell'Annunciazione, dell'Ultima Cena e della Crocifissione. Sono il catechismo in pittura, in mosaico ed in pietra. Eppure il paragone tra le più famose chiese moderne ed i tipici esempi di chiese Paleocristiane o Rinascimentali, ci fa mettere in dubbio qualsiasi nozione di progresso nell'arte. Come saranno giudicate le nostre costruzioni ecclesiastiche, in rapporto a quelle dei nostri antenati, capaci di creare grandi opere

"The fine arts are rightly classed among the noblest activities of man's genius; this is especially true of religious art and of its highest manifestation, sacred art. Of their nature the arts are directed toward expressing in some way the infinite beauty of God in works made by human hands. Their dedication to the increase of God's praise and of his glory is more complete, the more exclusively they are devoted to turning men's minds devoutly toward God".
Sacrosanctum Concilium no. 122

How can we recover the sense of the sacred in our temples and shrines? We seem to have lost the ability to make new buildings which exude that ineffable sense of the "Sacred" which can be rightly called the presence of the Almighty. Why is it that few of our churches built in recent decades intimate that the church building itself and the celebrations taking place within it are sacred: the sacred liturgy, holy matrimony, unction, holy communion, reconciliation, holy orders, baptism and funerals.
Recent church structures often seem of this world rather than otherworldly, down to earth rather than heavenly, more secular than sacred. In this increasingly secular age our houses of worship, by blending in with contemporary architecture, are in danger of becoming mere theaters and assembly halls rather than sacred and prophetic places. Yet why should we seek to promote and restore sacred architecture if it has been lost? We seek to restore the practice of a sacred architecture because it is part of our Catholic patrimony in the same way that images of the Annunciation, Last Supper, and Crucifixion are. They are a catechism in paint, and mosaic and stone. Yet the comparison of even the most critically acclaimed modern churches with typical examples of early Christian or Renaissance churches is to call into question any notion of progress in the arts. How will our ecclesiastical works be judged in relation to our forefathers who were able to create great

d'arte con minime risorse e tecnologie rudimentali?

Il grande interesse mostrato per le chiese medioevali e classiche dai fedeli e dagli storici, dimostra fortemente che queste costruzioni continuano ad essere valide per la cultura moderna e che l'uomo contemporaneo è desideroso di senso del sacro. Questo ci porta a ritenere che, così come le chiese medioevali e le antiche Basiliche continuano ad essere luoghi per liturgia e devozione, l'architettura sacra non può andare perduta. Infatti, oggi siamo testimoni di un crescente numero di committenti illuminati, e di architetti di talento che stanno determinando una nuova rinascita nell'architettura sacra, in grado di promuovere il senso di sacralità nella casa di Dio.

UN LUOGO A PARTE

Creare luoghi tridimensionali per il culto è fondamentale alla natura umana. L'architettura sacra è uno dei mezzi per articolare il significato della vita per ciascuno di noi, per le nostre comunità, per le generazioni future... e per Dio, poiché sebbene Egli non abbia bisogno del nostro culto, né dei nostri templi di pietra, li merita grandemente. La nostra risposta alla Croce sta nel mostrare a Lui l'amore attraverso le nostre azioni ed i nostri pensieri, costruendo chiese e saziando l'affamato. Quando entriamo in contatto con Dio ci leviamo in piedi su una terra santa. Il ringraziamento ed il culto c'inducono a situare a parte quei luoghi dove il Signore ha fatto conoscere la sua presenza al suo popolo: la montagna sacra, la stanza superiore, la tenda nel deserto ed il tempio nella città Santa. Nessuno di questi luoghi può contenere Dio, ma tutti testimoniano la sua benevolenza e la sua presenza.

Dall'origine della Cristianità, i fedeli hanno collocato a parte il culto comunitario e la preghiera privata. Di questo possiamo vedere esempi commoventi a Dura Europos e nelle decorazioni delle catacombe. Con l'editto di Milano, gli architetti di Costantino affrontarono la sfida di creare grandi edifici sacri a Roma, in Terrasanta e a Bisanzio. La loro soluzione fu di creare luoghi sacri attraverso un'architettura processionale di navate colonnate, santuari absidati con baldacchini. Tutte le più tarde innovazioni dovrebbero essere viste in funzione della continuità con queste inclusioni archetipiche del sacro.

Ma non sono l'architettura e l'iconografia che definisce un edificio ecclesiale "sacro"? Non è la dedicazione della chiesa, l'altare in pietra, gli spazi sacramentali, le icone sacre, ed il fedele che lì dentro ha adorato, che rendono un edificio sacro? Senza questi aspetti, la Cattedrale di Chartres e la Basilica di S. Pietro, sarebbero solo lavori geniali ma non luoghi sacri. Così, da una parte, il più semplice rifugio può essere in luogo sacro in virtù dell'eucaristica che lì si può svolgere. Ma dall'altra, l'architettura di chiese belle, come la Sainte Chapelle a Parigi a St. Vincent Ferrer a New York, comprende il senso del sacro in maniera così completa che è possibile, per queste, parlare di "architettura sacra". Noi testimoniamo che il grande effetto di Chartres e di S. Pietro sui credenti e sui non credenti, è dovuto ai loro spazi sublimi, alla costruzione durevole, alla splendida iconografia ed alla loro rappresentazione di casa di Dio dentro un paesaggio.

LA CHIESA COME EDIFICIO SACRAMENTALE

Come può l'architettura di una chiesa rafforzare o esprimere la sacralità portata dalla dedicazione, dalla liturgia, dai sacramenti, e dal popolo di Dio che lì dentro prega? Attraverso la composizione architettonica ed i diversi motivi la costruzione di una chiesa dovrebbe evidenziare la posizione degli elementi liturgici e dei sacramenti. Disponendo le icone all'interno di edicole, i tabernacoli sopra il Santissimo Sacramento, ed i baldacchini sull'altare, l'architettura concentra la nostra attenzione sugli elementi sacri. Utilizzando dei materiali pregevoli, una ricca ornamentazione e le forme archetipiche nelle posizioni liturgiche e sacramentali il visitatore viene invitato ad avvicinarsi e a ricevere le grazie di Dio offerte nei sacramenti. Onorando i sacramenti attraverso la

works of art, in spite of their limited resources and rudimentary technology?

The great appreciation shown for classical and medieval churches by pilgrim and art historian alike strongly indicates that these buildings continue to be relevant to contemporary culture and that modern man still desires a sense of the sacred. This leads us to believe that as long as Medieval churches and ancient basilicas continue to be places for the liturgy and devotion, then sacred architecture cannot be lost. In fact, today we are witnessing a growing number of enlightened patrons and talented architects who are bringing about a new renaissance in sacred architecture, promoting the sense of the holy in our houses of God.

A PLACE SET APART

To create three-dimensional places of worship is fundamental to human nature. Sacred architecture is a means for us to articulate the meaning of life for ourselves, our communities, future generations˙. and for God, because though He does not need our worship nor our temples of stone He deserves them greatly. Our response to the cross is to show Him love in our actions and our thoughts, through building churches and feeding the hungry. When we come in contact with the Almighty we stand on holy ground. Thanksgiving and worship cause us to set aside those places where God has made his presence known to his people: the holy mountain, the upper room, the tent in the wilderness, and the temple in the Holy City. While none of these places can contain the Deity, they offer witness to His benevolence and to His presence with us.

From the earliest days of Christianity, believers set aside places for corporate worship and private prayer. We see poignant examples of this at Dura Europas, and in the decoration of the catacombs. With the edict of Milan, Constantine's architects were faced with the challenge of creating large sacred buildings in Rome, the Holy Land and Byzantium. Their solution was to create holy places through a processional architecture of colonnaded naves and apsed sanctuaries, with rood screens and baldacchinos. All later innovations should be seen as in continuity with these archetypal embodiments of the sacred.

But, is not a church building by definition "sacred", in spite of its architecture and iconography? Is it not the dedication of the church, the altar stone, the places for the sacraments, the holy icons and the faithful who have worshipped there that makes a building sacred? Without these aspects, Chartres cathedral and St. Peter's basilica are merely genius works of architecture and not sacred places. Thus, at one level, the meanest shelter will be a sacred building by virtue of the sacred liturgy and the holy Eucharist held within. But on another level, the architecture of beautiful churches, whether Sainte Chapelle in Paris or St. Vincent Ferrer in New York, embodies the sense of the sacred so completely that it is possible to speak of it as a "sacred architecture". And so we witness the great effect of Chartres and St. Peters on believers and unbelievers alike, due in part to their soaring spaces, durable construction, exquisite iconography and their representation as the house of God within the landscape.

THE CHURCH AS A SACRAMENTAL BUILDING

How can the architecture of a church reinforce or express the sacredness brought to it by the dedication, the liturgies, the sacraments, and the people of God who worship there? Through the architectural composition and individual motifs a church building should highlight the place of the liturgical elements and the sacraments. By placing icons within aedicules, testers over the Blessed Sacrament, and baldacchinos over the altar, the architecture focuses our attention on the sacred elements. Employing fine materials, increased ornamentation, and archetypal forms at liturgical and sacramental places invites the visitor to draw near and receive God's graces offered in the sacraments. Giving honor to the sacraments through the

disposizione ed il disegno del battistero, del confessionale, dell'ambone, del tabernacolo, dell'altare e della balaustra, viene ulteriormente articolata la natura della chiesa come una casa sacramentale.

Sebbene non sia un sacramento in sé, l'architettura si riferisce ai sacramenti e specialmente al Santissimo Sacramento, e per questo motivo si può parlare di "architettura sacramentale". Proprio come un sacramento, essa è un'espressione visibile di una realtà invisibile, cosicché un'architettura sacramentale ritrae attraverso i mattoni e la malta il mistero della Salvezza. Così l'architettura esterna della chiesa dovrebbe richiamarci la Comunione, o il Battesimo, o il Matrimonio. Ma come?

Un modo è costituito dal riferimento a quegli elementi architettonici che articolano all'interno il santuario, l'altare, il tabernacolo, il confessionale, la balaustra. Nella chiesa del Gesù a Roma la facciata è caratterizzata da pilastri accoppiati che preludono alla pianta della navata ed incorniciano le cappelle laterali. Un riferimento sacramentale sull'esterno può essere anche ottenuto impiegando bassorilievi che rappresentino l'Eucarestia o altri sacramenti, personificazioni delle virtù, un ciborio o un arco trionfale sopra il portale. Inoltre, l'aggiunta delle immagini di santi, tombe, ed angeli sul tetto indicano la realtà sacra dell'interno.

L'architettura del "sacro" presenta la Cristianità in una forma tridimensionale: visivamente, al tatto e all'udito al tempo stesso. Il "sacro" deve giungere a noi mediante tutti i sensi, circondarci con le sensazioni di ciò che hanno provato Abramo davanti al roveto ardente, il re Davide davanti all'arca, la Vergine Maria di fronte all'angelo Gabriele, e i discepoli ai piedi di Gesù e della croce. La pietra sotto i piedi, il legno delle nostre panche, i profumi di incenso e di cera d'api, la levigatezza del marmo, la forza di cancellate di ferro battuto, e la pittura sulle tele aiutano a creare un senso del "sacro" e ci preparano al gusto del pane e del vino sacri.

PER PROGETTARE EDIFICI SACRI

Sebbene come mezzo sia più astratta, l'architettura sacra può esprimere le verità di fede come le arti sorelle della musica, della pittura e della scultura. Essa deve compiere tale operazione con forme archetipiche quali i portici, i campanili, i colonnati, e le volte, di cui hanno sviluppato livelli di significato. Queste forme sono grandi figure che avvolgono il fedele e, quando ciò è fatto con bellezza, esse determinano un effetto inconscio nell'animo. Queste forme sono composte da elementi quali le colonne corinzie, le proporzioni verticali ed i simboli cristiani che sono stati impiegati universalmente per oltre due millenni per definire il "sacro". La coerenza e l'unità sono accertate quando la costruzione è progettata usando il ricco patrimonio dei linguaggi architettonici Classici o Medioevali.

Progettare le costruzioni sacre suggerisce ai visitatori di pensare alle cose di lassù, di essere informati del "sacro", di abbracciare l'eterno all'interno dell'effimero. Le persone dovrebbero vedere e sentire che stanno entrando in un luogo al di fuori dell'ordinario, in un posto in cui le preoccupazioni della vita possono essere viste dalla prospettiva dell'eternità. Un certo mistero o persino una straordinarietà dovrebbero essere espressi dall'architettura. Entrare in un luogo sacro non dovrebbe essere conveniente come in un grande magazzino, comodo come in un caffè, o prevedibile come in una sala da conferenze. Piuttosto come un posto la cui ragione di esistere sta nel promuovere l'incontro con il divino, esso deve essere progettato in un modo che aiuti a mettere a fuoco Dio.

UN'ARCHITETTURA SACRA PER IL GIUBILEO

Se siamo aperti al "sacro", questo ci afferrerà non appena ci avviciniamo alla chiesa o persino quando vediamo la sua cupola o le sue guglie da lontano. Entrando, l'architettura trasporterà i nostri occhi e poi i nostri cuori verso Dio, verso il cielo. La materializzazione della volontà sacra ci farà uscire da noi stessi, mediante la sua bellezza,

placement and design of the baptistery, confessional, ambry, tabernacle, altar, and altarrail further articulates the nature of the church as a sacramental house.

Though not a sacrament itself, the architecture of the temple refers to the sacraments, most especially to the Blessed Sacrament, and for this reason it can be considered a "sacramental architecture". Just as a sacrament is a visible expression of an invisible reality, so a sacramental architecture portrays through bricks and mortar the mystery of salvation. Thus the architecture of the exterior of the church should remind us of Holy Communion, or baptism, or of marriage. But how?

One way is through reference to those architectural elements that articulate the sanctuary, altar, tabernacle, confessional, altarrail and shrines within. At the Gesu in Rome the façade is made up of paired pilasters which preview the design of the nave and frame the side chapels. A sacramental referencing on the exterior can also be accomplished by employing bas-reliefs of the Eucharist and other sacraments, personifications of the virtues, a baldacchino or triumphal arch over the portal. In addition, the inclusion of effigies of saints, tombs, and angels on the roof all indicate the sacred reality of the interior.

The architecture of the sacred presents Christianity in a three dimensional form: visually, tactilely, and sonorously in time. The sacred must come to us through all the senses, to surround us with intimations of what Abraham felt in front of the burning bush, King David in front of the ark, Mary with the angel Gabriel, and the disciples at the feet of Jesus and at the foot of his cross. The stone under foot, the wood of our seats, the smells of incense and of beeswax, the smoothness of the marble, the strength of the cast iron grillwork and rails, and paint on the canvas all help to create a sense of the sacred and prepare us for the taste of sacred bread and wine.

TO DESIGN SACRED BUILDINGS

Even though as a medium it is more abstract, sacred architecture can articulate the truths of faith like its sister arts of music, painting and sculpture. It must accomplish this task with archetypal forms such as porticos, belltowers, colonnades, and vaulting, all of which have developed layers of meaning. These forms are large figures which envelop the pilgrim and, when done beautifully, create an unconscious effect upon his soul. These elements are composed of elements such as Corinthian columns, vertical proportions and Christian symbols which have been universally employed over two millennia to define the sacred. Coherence and unity are ensured when the building is designed using the rich patrimony of Classical or Medieval architectural languages.

To design sacred buildings is to help dispose visitors to thinking of things above, to be aware of the holy, and to embrace the eternal within the ephemeral. People should see and feel that they are entering into a place out of the ordinary, a place in which the concerns of life can be seen in relation to eternity. There should be a certain mystery or even a strangeness expressed by the architecture. A sacred place should not be convenient to enter like a department store, comfortable like a café, or predictable like a lecture hall. Rather as a place whose reason for existence is to foster the encounter with the divine, it must be designed in a way helping us to focus on the Divinity.

A SACRED BUILDING FOR THE JUBILEE YEAR.

If we are open to the Sacred it will grip us as we approach the church or even when we see its dome or spires from afar. Upon entering, the architecture will carry our eyes and then our hearts toward God, toward heaven. The material embodiment of the sacred will draw us out of ourselves by being beautiful, harmonious and transcendent. Within

l'armonia e la trascendenza. All'interno della navata ci saranno zone spaziose ed elevate, come all'incrocio o sotto la cupola. L'infinito sarà articolato mediante spazi inaccessibili quali il coro, il triforium o una Cappella della Vergine oltre il santuario.

Ugualmente vi saranno zone più intime per il "mysterium tremendum": cappelle laterali per la preghiera e la liturgia quotidiana, confessionali intagliati in modo elaborato, materiali ricchi e colorati, e altari d'angolo con candele che tremolano di fronte a icone dorate. Saranno presenti molti livelli di iconografia e di significato, molte soste lungo il percorso e molti punti per riposare gli occhi. E ciò verrà fatto secondo un buon ordine ed una chiara gerarchia di tutte le parti. La più importante di queste è il tabernacolo, il posto del Sanctus, dove gli angeli dicono "santo, santo, santo è il Signore Dio dell'Universo".

Questa rappresentazione della liturgia celeste all'interno del santuario, è conforme al suo ruolo di centro della chiesa. Il santuario è riempito di luce celestiale, differente nella qualità dalla navata (se è misteriosa e calma o dorata e luminosa). I gradini di marmo, l'arco trionfale che poggia su colonne e le balaustre intensificano la nostra consapevolezza dei misteri sacri. Essi inoltre aiutano a separare il *Sancta Sanctorum*, il posto dei sacerdoti e l'altare del sacrificio. Con un più grande senso del dettaglio, dei materiali, dell'iconografia, e con un aumento dell'espressione architettonica l'architettura del santuario rappresenterà il culmine di quella della chiesa. Un altare di marmo ed un tabernacolo di bronzo sono l'ultima materializzazione del "sacro", la presenza di Cristo che vive con l'uomo, e sono evidenziati da colonne, da sculture, da lampade bronzee e da pale d'altare sacre.

Nella sua recente Lettera agli artisti, Giovanni Paolo II ha scritto *"Per trasmettere il messaggio affidatole da Cristo, la Chiesa ha bisogno dell'arte. Essa deve, infatti, rendere percepibile e, anzi, per quanto possibile, affascinante il mondo dello spirito, dell'invisibile, di Dio.. Deve dunque trasferire in formule significative ciò che è in se stesso ineffabile"*. Oggi vediamo molti architetti e committenti che stanno rispondendo alla chiamata del Santo Padre. In virtù di ciò l'architettura sacra può essere riconfermata nel ruolo d'importanza che le compete nel Terzo Millennio, e offrire di nuovo case di preghiera per l'umanità e templi degni di Dio e della sua liturgia.

the nave there will be spacious and uplifting areas, such as at the crossing or under the dome. The infinite will be articulated by unreachable spaces such as the choir, the triforium or a Lady Chapel beyond the sanctuary.

There will also be more intimate areas of mysterium tremendum: side chapels for prayer and daily liturgy, elaborately carved confessionals, sumptuous and colorful materials, and corner shrines with candles flickering before gold covered icons. There will be many levels of iconography and meaning, many stops along the way, and many places for our eyes to rest. And it will be done with good order and clear hierarchy of all the parts. Most important of these parts is the sanctuary, the place of the Sanctus, where the angels say, "holy, holy, holy is the Lord God of Hosts."

This re-presentation of heavenly liturgy within the sanctuary is consonant with its role as the focus of the church building. The sanctuary is filled with a celestial light, different in quality from the nave (whether it is mysterious and quiet or golden and bright). The marble steps, triumphal arch sitting on columns and altarrail heighten our awareness of the sacred mysteries. They also help set apart this holy of holies, the place of the ordained priesthood and the sacrificial altar. With a greater sense of detail, materials, iconography, and an increase of architectural expression the architecture of the sanctuary will be the culmination of the church. A marble altar and bronze tabernacle are the ultimate embodiment of the sacred, the presence of Christ dwelling with man, and are highlighted by columns, sculpture, bronze torcheres and sacred altarpieces.

In his recent Letter to Artists, Pope John Paul II has written "In order to communicate the message entrusted to her by Christ, the Church needs art. Art must make perceptible, and as far as possible attractive, the world of the spirit, of the invisible, of God. It must therefore translate into meaningful terms that which is in itself ineffable". *Today, we see numerous architects and patrons who are answering the Holy Father's call. In this way the architecture of the sacred shall be restored to its place of prominence in the Third Millennium, and offer once again houses of prayer for mankind and temples worthy of God and His sacred liturgy.*

James Leslie:
Chiesa di Santa Maria - Chicago, 1998
St. Mary's Church - Chicago, 1998

IL VALORE DELLO SPAZIO SACRO
THE VALUE OF SACRED SPACE

Annalisa Ciarcelluti

Roxolana Luczakowsky:
Angelo Gabriele, Iconostasi, 1975
Angel Gabriel from Iconostasis, 1975

"Il Cielo è il mio trono e la terra lo sgabello dei miei piedi. Quale casa mi costruirete?"(Isaia 66,1)

L'uomo va costruito sull'Amore, al di la delle idee politiche e della nazione a cui appartiene.
Veniamo da Dio e inevitabilmente le architetture da noi costruite rifletteranno una scintilla della Luce vera: la Verità eterna che è con Dio.
L'arte è libertà, non costrizione, è spaziare senza limiti nelle sensazioni, nelle emozioni, nell'universo, cercando di esprimere un momento, un brivido sempre diverso. L'arte è capirsi.
L'arte è interpretare le dimensioni simboliche della vita, facendole vibrare e approfondendole.
L'architettura, cosi come la musica, la pittura e tutte le arti, vengono da Dio, sono un Suo modo di comunicare. Esistono delle architetture belle e delle architetture brutte; in realtà, si dovrebbe parlare di architetture vere e architetture finte, laddove sono vere quelle che esprimono l'essere umano nelle sue sfaccettature tutte immagine di Dio e finte quelle artificiali, studiate a tavolino, individuabili nelle loro similitudini.
Pertanto la Chiesa può essere pensata solo come opera e dono di Dio. Da qui la figura dell'artista-architetto, che diviene colui che opera per il bene comune. deve essere capace di cambiare con la sua proposta la vita della gente, collaborando alla realizzazione dell'ideale, rappresentato dalla Gerusalemme celeste.
L'architetto quindi è il produttore di spazi validi per la vita dell'uomo, è un attento osservatore dei bisogni dell'uomo, è l'esempio della comprensione del momento storico e della necessità per l'uomo di esprimere la sua partecipazione al dramma che l'umanità vive, dramma che interessa tutta la vita umana dopo il peccato originale, dopo la conquistata libertà della volontà, e la capacità di libero arbitrio e la conseguente coscienza del male fatto agli uomini. A ciò si unisce la felicità del non essere soltanto animali, e di poter usare quella stessa

"The heavens are my throne, the earth is my footstool. What kind of house can you build for me?" (Isaiah 66,1)

Man should be built on Love, independent of political ideas and nationality. We come from God and inevitably the architecture we build will reflect the spark of true Light; eternal Truth is with God.
Art is freedom, not constraint; it is space in which sensations, emotions are limitless.
In the universe, seeking to express a moment, a thrill is always different.
Art is knowing oneself. Art interprets the symbolic dimension of life, making it vibrant and more profound. Architecture, music, painting and all of the arts come from God. They are one of His means of communication. There are beautiful architectural works and ugly ones. Actually, one ought to speak of real and false architectures, the real ones being those which express the human being in all his facets, those which reflect the image of God whereas the artificial ones, being studied theoretically, recognizable in their sameness.
Consequently, the church may be considered solely as a work of and gift of God. From this concept the figure of the artist-architect, who becomes he who works for the benefit of the common good, must be capable of change, along with his proposal, the life of the people, collaborating in the realization of the ideal, represented by the celestial Jerusalem.
Consequently, it is the architect who produces the spaces which serve the life of man, and who is a careful observer of the needs of mankind, the example of the understanding of the historical era and of the necessity for man to express his participation in the drama which humanity lives, a drama which has affected all human life after original sin, after the acquisition of free will and freedom of choice, with the resulting knowledge of the wrong done to mankind. Added to this is the bliss of not being only animals; being free and able to use freedom to observe and to understand the beauty of the world, in order to create it in human endeavors. Anguish

libertà per guardare e capire, comprendere la bellezza del mondo, per crearla nelle opere umane: angoscia e felicità sono le due facce del nostro esistere, così come lo sono creare e comprendere quanto è stato creato.

È necessario quindi puntare sulla trasmissibilità, attraverso uno spazio pensato sugli affetti dell'autore, che sono il senso della vita e della morte, l'abbraccio di ogni cosa sulla terra e la presenza dell'uomo sulla stessa, con i suoi molti peccati e le sue grandi capacità, nei momenti di grazia, di amare il prossimo e di creare dal nulla la bellezza.

Una casa nasce su misura delle esigenze di chi la vive, intendendo con questo termine tutte quelle manifestazioni di tipo concreto, spirituale, culturale e sociale che caratterizzano l'uomo nella sua essenza.

La casa del Signore rientra fra gli archetipi che costituiscono i luoghi degli incontri e degli scambi degli esseri umani, così come il palazzo comunale e le piazze.

In particolar modo una Chiesa è il luogo dell'incontro della comunità che costituisce l'Ecclesia, cioè il popolo di Dio con Dio stesso.

In questa Gerusalemme terrestre bisognerà ricollocare al giusto posto le realtà religiose che nelle nostre periferie non solo tendono a sparire, in quanto nella nostra società il primo posto è riservato al "secolare", ma hanno perso quell'importanza urbanistica di elemento emergente che aveva in passato. Il Giubileo dell'anno 2000 offre lo spunto per aprire un dibattito sulla città e la sua evoluzione spirituale, ancor più rilevante in una città come Roma, capitale della cristianità, e sullo spazio sacro particolarmente nelle periferie, lì dove la qualità della vita si presenta frammentata e dispersiva. Realtà positive sono state nel passato situazioni ove tessuti residenziali si sposavano a tessuti misti, ove i luoghi notevoli che costituivano i poli erano le piazze, punti di scambio e di incontro, nell'ambito delle quali emergevano le realtà civili e religiose accanto a quelle commerciali. Ivi le Chiese oltre a ricoprire un ruolo di primaria importanza avevano una funzione di fuoco nell'ambito del disegno cittadino e diventavano punti di riferimento strategici. A Roma, piazze come S. Pietro e il suo colonnato, Trinità dei Monti e S. Giovanni sono realtà uniche al mondo, efficienti nodi di diffusione di religiosità, nonché punti focali di scambi religiosi e umani, oltre a costituire un percorso ideato da Sisto V con gli obelischi, elementi ottici visibili prospetticamente, per l'individuazione del percorso di pellegrinaggio. Oggi la Chiesa, sulla base della riforma voluta dal Concilio Vaticano II, è chiamata a garantire una forma e una funzione dello spazio liturgico basate innanzitutto sul cammino di fede della comunità che celebra il mistero di Cristo e la sua bellezza.

Al concetto di una Chiesa segno della Chiesa pellegrina sulla terra e immagine della Chiesa già nel Cielo, consegue una Chiesa che susciti l'emozione di un dialogo con Dio e che generi nell'uomo, nel momento della funzione stessa, quel senso di amore che solo Lui sa dare e che diventa il mattone unico con il quale costruire, insieme a tutti gli altri, quella civiltà dell'Amore da Dio proposta all'uomo, nella speranza di poterla concretizzare alla luce della libertà della Parola. Si nota, soprattutto in questo scorcio di secolo, una dequalificazione dello spazio sacro; ci si riferisce a quella architettura, anche prestigiosa, che ha portato alla proliferazione di edifici sempre più dominati da canoni estetici ispirati ad un modernismo senza "regole", che ne ha svuotato del tutto la componente spirituale.

Appare invece necessario recuperare, come assolutamente necessari, tanto l'immagine della Chiesa segno della presenza del sacro nella città degli uomini, quanto la sua componente emozionale, capace di suscitare un dialogo con Dio. Una rivalutazione degli elementi e della simbologia tradizionale può concorrere alla riqualificazione dello spazio ma rimane essenziale la sensibilità dell'interprete, che deve avvertire il suo impegno di partecipazione all'attività creatrice di Dio, alla realizzazione dell'ideale "Gerusalemme terrestre".

La laicizzazione dell'arte sacra, compresa nei soli parametri materiali, deve cedere il passo alla rivalutazione dell'architetto "missionario", cosciente della necessità di un'opera che soddisfi il suo rapporto spirituale di libertà nel Signore.

and happiness are the two faces of our existence, like the ability to create and the ability to understand that which has been created.

It is necessary, therefore, to rely on creation's ability to be transmitted, by means of a space based on the author's predilections, namely the meaning of life and of death, the embrace of everything present on earth and the presence of man himself, with his many sins and with his great ability, in moments of grace, to love his neighbor and to create beauty from nothingness.

A house is built according to the requirements of those who live in it. By this is meant all of those concrete, spiritual, cultural and social manifestations which characterize the essence of man.

The house of the Lord is among the original models of buildings that constitute points of meeting and exchange among human beings, like municipal buildings and the squares.

The church is, in a special way, the meeting place for the community that constitutes "ecclesia," that is, the people of God with God Himself.

It is necessary to put in its proper place in this terrestrial Jerusalem the religious reality which, in our suburbs, tends not only to disappear in view of the fact that in our society first place is reserved for the "secular," but which also has lost the importance it had in the past as an emerging urbanistic element. The Jubilee of the Year 2000 offers a starting point for opening a debate on the city and its spiritual evolution - which is especially important in Rome, the capital of Christianity - and on sacred spaces, particularly in the suburbs, where the quality of life is dispersive and fragmented. Positive realities have been, in the past, residential areas composed of mixed neighborhoods, where the important areas which constituted the poles were the squares: places of exchange and meeting, the sphere in which civil and religious realities emerged along with commercial ones. There the churches, in addition to assuming a role of primary importance, had the function of focus in the field of the civil design and became strategic points of reference.

In Rome, piazzas like Saint Peter with its columns, Trinita dei Monti and San Giovanni, are realities which are unique in the world; they are efficient nodes of religious diffusion and focal points for religious and human exchanges, in addition to constituting a road designed by Sisto V, with obelisks, optical elements visible in perspective, for identifying the route of the pilgrimage.

Today the Church, on the basis of the reform of the Second Vatican Council, is called upon to guarantee a form and a function in liturgical space, based, above all, on the journey of faith of the community which celebrates the mystery of Christ and its beauty.

To the concept of a church, sign of the pilgrim Church on earth and image of the Church already in Heaven, there is added a Church which provokes the emotion of a dialogue with God, which generates in man, in the moment of the function itself, that sense of love which only He can give and which becomes the only brick with which to build, together with all other men, that civilization of the Love of God, proposed to man in the hope of making it visible and concrete in the light of the liberty of the Word.

One observes, above all in this age, towards the end of a century, a de-qualification of the sacred spaces; the reference is to that architecture, including the prestigious, which has led to the proliferation of buildings increasingly dominated by aesthetic criteria inspired by a modernism without "rules," which has completely removed the spiritual component.

It appears necessary, instead, to retrieve both the image of the church as a sign of the presence of the sacred in the city of men, and its emotional component capable of provoking a dialogue with God.

Re-evaluations of the elements and traditional symbolism of architecture can work together towards the re-qualification of space but the sensibility of the interpreter is essential. He must feel his involvement in a creative activity of God, in the realization of the ideal "earthly Jerusalem."

The secularization of sacred art, compressed into only material parameters, must give way to the re-evaluation of "missionary" architect, aware of the need for a work that satisfies the spiritual relationship of freedom in the Lord.

L'IDENTITÀ NELLA COSTRUZIONE DELLE CHIESE
THE IDENTITY IN BUILDING CHURCHES

Sandro Benedetti

Helmut Rudolf Peuker:
ricostruzione della spina di Borgo - dettaglio, 1991
reconstruction of the Spina di Borgo - detail, 1991

Il formare artistico si costruisce su un rapporto basale: quello tra la materialità più concreta e decisa, che sostanzia l'opera artistica e quindi anche l'architettura, e la concretezza spirituale della persona che attiva il processo formativo. La materia dell'architettura comprende tutta la complessa costellazione di fatti e atti, che fanno nascere, determinano e accompagnano la costruzione nella sua flagranza più piena: dai materiali costruttivi nel senso più stretto, alle tecniche di esecuzione, ai sistemi strutturali, alle tipologie dell'organismo e delle forme architettoniche, alla condizione esecutiva del cantiere, e quindi sù sù fino al ruolo della committenza, ai caratteri costitutivi del singolo tema architettonico affrontato. Un mondo - quello della "materia" flagrante, attraverso cui diviene presenza fisica l'architettura - che l'architetto deve far suo e dominare nel processo formativo, onde volgerlo alla finalità espressiva che persegue. L'altra componente dell'opera - la concretezza spirituale della persona, che attiva il processo formativo - è lo snodo decisivo attraverso cui matura, se matura, la vera e piena formatività. Attraverso esso e con esso si costituisce il contenuto dell'opera. Le passioni, le emozioni, le vicende della vita concreta della persona, la sua cultura come visione e giudizio sul mondo, la sua esperienza religiosa, le sue conoscenze scientifiche, tecniche e professionali: in una parola tutto il mondo che la persona vive, il suo ribollire vivo dà corpo all'operazione formativa. Agendo, reagendo e portando a maturazione formativa il mondo della concretezza materiale pertinente al campo artistico che essa affronta, la spiritualità dell'operatore la fa maturare, e la traduce in modo di formare. Tanto che, come è stato giustamente sostenuto, ogni trasformazione del modo di formare, ogni trasformazione stilistica esprime e veicola un modificarsi o un variare del mondo spirituale dell'artista.

Entro la complessità delle cose che costituiscono la concretezza

Artistic design is built upon a basic relationship: that of concrete materiality which gives substance to artistic works, and therefore, to architecture as well, and the spiritual concreteness of the person who initiates the formative process. Architecture includes the entire gamut of facts and actions which give rise to, define, and accompany construction in its most flagrant aspects: from the materials used in construction, in the strictest sense, through the technique applied in building, and typology of the structure and the architectural forms, to the actual work of building, and thus, ever further, to the characteristics of the individual architectural theme. A world - that of "flagrant" material through which architecture takes on physical form - which the architect must make his own and dominate during the process of formation in order to direct it to the expressive end it pursues. The other component of the work - the spirituality of the individual, which activates the formative process - is the decisive junction through which matures, if it does, the full, true development. This is the means by which the content of the work is built up. The passions, the emotions, the kind of life he leads, his culture as a means of seeing and judging the world, his religious experiences, his scientific, technical and professional experience: in a word, his own entire world, all of his living memories and thoughts contribute to his formation. Acting, reacting and bringing to formative maturation the concrete, material world which is pertinent to the artistic field which it addresses, the spirituality of the operator makes it mature and translates it into a means of formation. So much so that, as has been justly argued, every change in the manner of formation, every change in style expresses and diffuses a means by which to modify or vary the spiritual world of the artist.

Within the complexity of the things which constitute material practicability, which accompany and condition the work taken on and accepted as his own by the architect, special attention should be

materiale, che accompagnano e condizionano l'opera assunte e fatte proprie dall'architetto, un'attenzione speciale va portata ai caratteri costitutivi, ai singoli "eventi" umani che costituiscono e caratterizzano il singolo tema architettonico. In modo particolare il ruolo dell'evento germinale della costituzione architettonica viene in evidenza quando l'architettura si fa carico, col progetto, della dimensione religiosa del vivere: anche se questa osservazione vale per l'architettura tutta. In effetti il tema religioso è "cartina di tornasole" per mettere in evidenza l'importanza di questo aspetto nella definizione della sintesi architettonica. Questo perchè per sua natura esso contiene una forte rilevanza metafisica trascendente ed una minore rilevanza fisico-cosale. Spessore che esiste in tutti i temi architettonici, ma che in genere fin qui è stato quasi trascurato dalle modalità formative del Moderno.

In particolare da quella indotta da un rilevante filone dei padri fondatori dell'architettura del Moderno: l'enfasi funzionalista, nel suo consolidarsi in funzionalismo radicale. Una posizione che tende a ridurre a "cose", a movimenti tra le cose l'approccio alla complessa costellazione del carattere costitutivo del singolo tema architettonico: cosificazione, che trascura fortemente gli altri aspetti presenti in questo tipo di formatività. Non a caso, Adolf Behne, un compagno di strada dei maestri del Funzionalismo, denunciava già nel 1923 la *"riduzione"* funzionalista dell'architettura: che, da dimensione operativa con piena valenza artistica, veniva ridotta a strumento. A danno della sua dimensione di espressività del "mondo" - religioso, spirituale, culturale, in una parola umano - che deve contenere.

Esiste una notevole complessità nel campo dei caratteri costitutivi di temi architettonici. Accanto al carattere funzionale, che è stato scavato e studiato dall'architettura del Razionalismo e del Funzionalismo - tanto da costituire l'asse portante di una disciplina insegnata nelle Università i "Caratteri degli edifici" -, altri spessori vi vivono. Tra questi, fondamentale - ancorchè trascurato - è il carattere ontologico del tema: quello a cui afferisce la conoscenza dell'essere, dell'essere umano che si coinvolge nello specifico tema architettonico. Le cose, gli oggetti del mondo creati dall'uomo - e il costruito ne è uno tra i più necessari e preziosi, perchè "crea" l'ambiente atto a farlo vivere -, veicolano lo spessore umano che vi è connesso, che vi esiste. Contengono, in una parola, uno spessore dell'essere, una sua presenza che viene introdotta nelle opere attraverso il processo formativo intenzionale proprio dell'arte. Un "profumo" che va captato e svelato.

Questo spessore diventa qualità, se individuato e catturato nel processo formativo. Il quale solo così diviene veicolo espressivo dell'umano e forma nel senso pieno. In questo modo le principali dimensioni ontologiche possono essere "rivelate" e divengono la qualità profonda dell'architettura. Così il pregare, che è apertura, colloquio filiale dell'uomo con il suo Creatore Misericordioso. Così l'abitare, il dimorare, che è un vivere ritrovandosi, e non può indurre soltanto allo studio dei movimenti connessi alle funzioni abitative: che sollecita la ricerca ad un ritrovamento del sè, del vivere in rapporto dialogico libero nel ritmo famigliare, senza costrizioni e condizionamenti istituzionali, disteso nel colloquio interpersonale di scambio e correzione reciproca. Così il lavorare che è luogo dell'espandersi della fabbrilità e/o della creatività umana; così via per le altre dimensioni del vivere che l'architettura affronta.

Lo spessore ontologico cioè connota il carattere più segreto di ogni singolo tema architettonico; quello in cui vive la natura dell'essere. Esso va ricercato e "colto" onde qualificare l'opera nuova. Il tema religioso è particolarmente importante per evidenziare questo spessore: in quanto attraverso esso l'operatività del progetto architettonico è costretta ad affrontare in modo esplicito un suo

given to the component characteristics, to the individual human "events" which go to make up and characterize the individual architectonic theme. In particular, the role of the event which gave rise to the architectural structure becomes evident when architecture assumes the responsibility - along with the project - for the religious dimension of life: even if this applies to architecture in general. In effect, the religious theme is "litmus paper" for showing the importance of this aspect in the definition of architectonic synthesis. The reason for this lies in its nature, which includes a strong metaphysical significance and a weaker physical-causal one. A depth which is to be found in all architectonic themes, but which, generally up to now was almost ignored by formative methods of Modern.

In particular by that induced by an important current of founding fathers of Modern architecture: the functionalist emphasis, consolidated in radical functionalism. A position which tends to reduce to "things," to movements among the things, the approach to the complex constellation of constituting characteristics of the single architectonic theme: a reduction to things which completely overlooks all of the other aspects present in this type of formative activity. Not by chance, Adolf Berne, who followed the road of the Masters of Functionalism, as long ago as 1923 denounced the functional "reduction" of architecture, which had been reduced from an operative role with full artistic merit to a mere instrument. At the expense of its ability to express the "world" - religious, spiritual, cultural, in short, human - it should contain.

The characteristics that underlie architectonic themes are quite complex. Along with a functional character which has been excavated and studied by the architectures of Rationalism and Functionalism - to the point that it has become the base for a new subject, "Characteristics of Buildings," introduced into university curricula, there are other aspects of building to consider. Fundamental among these latter, still somewhat neglected - these are the considerations of the ontology of the subject: that which is essential to the knowledge of being, of being human which is involved in the specific subject of architecture. The things, the objects present in the world created by man - and building is among the most necessary and precious because it "creates" an environment in which he can live - diffuse the existing depth of humanity with which it is connected. In a word, they contain the depth of being, its presence which is introduced into the work by means of a deliberate formative process that belongs to the art itself. A "perfume" which should be picked up and recognized.

This depth becomes a quality, if it is recognized and captured in the process of formation. Only in this way can it become a fully developed form and means of human expression. In this way, the main ontological dimensions can be "revealed" and they then become a profound quality of architecture. So also is prayer, which is an open, colloquial link between man and his Merciful Creator. Thus, to live, to reside, is to live finding oneself again, and cannot lead only to the study of movements connected with day to day problems of living: which calls for a search which leads to finding oneself, to live in an unconstrained relationship with one's family which is bound by neither limits nor institutional constraints, relaxing in reciprocal exchange of points of view and differences of opinion. In this manner, work which is the activity in which both human creativity and productivity grow, in the same way as the other dimensions of living which are addressed by architecture are enhanced.

The ontological depth thus connotes the most hidden character of each and every individual architectural theme; that in which the nature of being lives. This latter should be sought out and seized in order to qualify the new work. The religious theme is particularly important in making this depth evident: by means of the efficacy of the architectural project it is forced to face, explicitly, one of its fundamental aspects -

aspetto costitutivo - quello espressivo/rivelativo delle qualità ontologiche - spesso velate o dimenticate. Dato che negli altri temi, in cui si cimenta la creatività architettonica, la dimensione ontologica del tema è come sopraffatta dalla cogenza delle altre sue componenti - funzionali, tecniche, materiali, tipologiche, stilistiche sulla cui soluzione in genere si concretizza il formare dell'architettura contemporanea. Mentre il recupero dello spessore ontologico, che è radicato in ogni evento umano ed è connesso ad ogni tema architettonico, si accompagna invece come componente assoluta nel tema religioso. Di qui la sua importanza per l'architettura tutta.

Accennato così sommariamente all'interrogazione e all'integrazione che l'architettura sacra sollecita al procedere della ricerca formativa contemporanea, è il caso di aggiungere soltanto qualche ulteriore notazione su quali siano i caratteri identificativi dello spazio sacro cristiano: vista la rilevanza esemplare che esso ha per un approccio ontologico del processo progettuale architettonico. Innanzitutto rispetto al carattere dello spazio interno, quindi circa il carattere del suo porsi rispetto all'ambiente, sia esso il quartiere o l'ambiente naturale.

Circa lo spazio interno, una frase del Vangelo di Matteo esprime con sintetica efficacia questo carattere. *"Perché ove sono due o tre riuniti nel mio nome, io sono in mezzo a loro"* (Mt, 18, 20). In queste parole si evidenzia un *"dove"*, cioè un luogo specifico oltre lo spazio naturalistico in cui ci si riunisce; ed in cui la presenza di preghiera vive in modo particolare; si evidenziano i *"due o tre"*, cioè la pluralità di presenze che si riunisce in preghiera; ed evidenzia soprattutto un *"Io"* fondante dell'evento, *"Io sono in mezzo a loro"*, cioè la Presenza di Cristo che costituisce lo "stare insieme". Questi tre elementi identificano il carattere dello spazio sacro cristiano. Innanzi tutto la presenza di Cristo-Uomo-Dio, il Misericordioso, disceso in terra a redimere il mondo dal peccato, presente nel Sacramento dell'Eucaristia, sorgente e traguardo della preghiera che gli uomini elevano a Dio nel colloquio confidente dei figli con il Padre. Il carattere specialissimo di questa Presenza, che è teandrico, è il primo specifico elemento della caratterizzazione architettonica cristiana. Questo significa che l'architettura, attraverso lo specifico modo formativo ed attivando la modalità del formare simbolico, soprattutto usata nei tempi premoderni, deve saper costruire spazi dai quali promani il mistero della Presenza di Cristo Uomo-Dio.

Accanto, e facente unità con la Presenza Eucaristica, altro elemento caratteristico dello spazio, è la presenza del Popolo di Dio riunito in preghiera: *"i due o tre riuniti nel mio nome"* di cui parla Matteo. Questa sottolineatura mette in evidenza per il Cristianesimo l'importanza della preghiera comunitaria: che non nega la preghiera personale, ma che la porta a maturazione piena. Il ruolo e la modalità della preghiera comunitaria cristiana nei secoli si è trasformata e nel nostro tempo è stata ridefinita dal Concilio Vaticano II, consolidando nella Chiesa tutta i risultati che il Movimento Liturgico, attivato da Pio X all'inizio del secolo, ha conquistato dagli anni '20 in poi in Europa.

La Riforma Liturgica del Vaticano II ha nettamente richiesto che nella celebrazione liturgica occorre attivare una "partecipazione attiva", che vinca la condizione di individualismo esasperato o quella partecipazione passiva in cui per lo più si era rifugiata la pratica religiosa nel nostro secolo: non ultima conseguenza della diffusione nel popolo dello spirito individualistico borghese.

Un elemento importante, atto a facilitare una "partecipazione attiva", è stato individuato dalle ricerche svolte dai liturgisti e dagli architetti attivi nell'ambito del Movimento Liturgico dei decenni 20-60, in un ripensamento della organizzazione tipologica dello spazio. Che da longitudinale, polarizzato prospetticamente

that of expressing/revealing the ontological qualities - often hidden or forgotten. In view of the fact that there are many other considerations which directly affect architectural creativity, the ontological aspect is often overshadowed by the knowledge of those other considerations: functional, technical, material, typological and stylistic which, generally, determine contemporary architecture. Other considerations such as recovering ontological depth, which is rooted in every human event, and is connected to every architectural theme, is, instead, an essential component of the religious theme. This is what makes it important for architecture as such.

Having thus briefly noted the questions it poses and the integration which sacred architecture requests in the progress of formative contemporary research, it is well to add only some further observations on the characteristics which identify sacred Christian areas: in view of the exemplary importance the latter has for an ontological approach to architectural design. Above all, with respect to the character of internal space, thus for the character of its relationship with the environment, whether a neighborhood or a natural environment.

With regard to covered areas, a phrase of Matthew expresses this concept effectively and concisely. "For wherever there are two or three gathered together in my name, there also am I." (Matt 18,20). In this statement, the word "wherever" is stressed, that is, a specific place outside the naturalistic realm in which to gather, and in which the presence of prayer is particularly alive. The words "two or three" are stressed, to indicate the presence of a number of people united in prayer. Above all, the "I" is stressed as the foundation of the event, "I am among them", that is, it is the Presence of Christ which makes up the "be together." These three elements identify the character of sacred Christian places and, above all, the presence of Christ-Man-God, the Merciful, descended to earth to redeem the world from sin, present in the Sacrament of the Eucharist, source and end of the prayer which man raises to God in the confidential tones of a son to his Father. The special character of the Presence, which is theandric, is the primary, specific, element which characterizes Christian architecture. This means that architecture, by means of its specific formative manner, and by activating the methods of symbolic formation, above all those used in pre-modern times, must be capable of building spaces from which the sense of the mystery of the Presence of Christ, God-Man, issues forth.

Nearby, uniting itself with the Eucharistic Presence, there is another element characteristic of the space, this latter being the presence of the People of God gathered together in prayer, "the two or three gathered together in my name" of whom Matthew speaks. This emphasizes the importance of communal prayer for Christianity: it does not deny the worth of individual prayer, but brings it to a level of complete maturity. The role and the form of Christian communal prayer, which has changed over the centuries and, which in our time has been redefined by Vatican Council II, consolidating in the Church all of the results of the Liturgical movement, which, begun by Pius X at the beginning of the century, has been accepted in Italy since the twenties, and later throughout Europe.

The Liturgical Reform of Vatican II clearly requires that in celebrating the liturgy there be "active participation," which overcomes both extreme individualism and that passive participation which marked religious rites in our century - not the last result of the spread of the individualistic spirit which has spread through the middle classes. An important element in support of "active participation" has been recognized as a result of research conducted by liturgists and architects who participated in the liturgical movement from the twenties through the sixties. The result was a re-thinking the typology of distribution of space in churches. That the altar, placed to form a focal point of the internal space should, instead, be surrounded by areas centered upon the

sull'altare, si trasformasse in un sistema di rapporti spaziali avvolgenti: centrati sull'altare vero e proprio, fuoco dello spazio architettonico, per essere luogo della Presenza di Cristo sul mistero dell'Eucaristia, prima e principale componente del tema architettonico cattolico. Cioè al fine di connettere nel modo più diretto possibile fedeli ed altare, luogo della celebrazione eucaristica e nuovo cardine dello spazio sacro. Questa rotazione tipologica, unita a tutta una serie di altre trasformazioni - celebrazione liturgica nella lingua locale, sacerdote rivolto verso il popolo per un pregare che fosse colloquio attivo tra presbiteri e laici, nuovo ruolo partecipativo affidato al canto del popolo, e così via - hanno consolidato dopo il Vaticano II la seconda principale componente del carattere costitutivo dello spazio cristiano.

Dalla capacità a rendere evidenti, attraverso le procedure formative dell'architettura, il carattere teandrico - l'essere Cristo Dio e Uomo - veicolato dalla presenza di Cristo nell'Eucaristia, dal carattere colloquiale legato alla rinnovata concezione liturgica del Vaticano II, dalla sapiente interpretazione di questi due aspetti fondativi dello spazio sacro cristiano dipenderà la possibilità a raggiungere, nel tempo che si avvia al nuovo Millennio, quella capacità rivelatrice dell'esperienza religiosa, che l'architettura deve possedere e che il tema richiede. Questa realtà della presenza di Cristo, Dio-Uomo, nell'Ostia non può essere semplice elemento di una distribuzione funzionale dello spazio, ma deve diventare "fuoco" significativo dello spazio, un cuore che sappia far "sentire" come in quel luogo - la mensa eucaristica - è presente questa vita, esista il Centro verso cui si polarizza l'Assemblea. Per far "sentire" questa realtà, la verità tematica dell'edificio tutto, occorrerà che lo spazio trovi modi di definizione, si articoli, si differenzi dalle altre aree dell'aula in dimensione, in forma, in illuminazione. Crei la sensazione viva di un'Assemblea che è tesa "in rapporto" vitale verso questo cuore. Cioè determina una partecipazione che non è più soltanto di movimento fisico, ma di movimento emotivo.

Circa lo spazio esterno, pure l'operazione identificativa del carattere dell'architettura delle chiese va sottolineato; onde evitare quel "perdersi" della presenza della chiesa nell'ambiente urbano o naturale entro cui si colloca, che ha afflitto spesso le ricerche degli anni successivi al Concilio Vaticano II.

È stato ricordato da Ratzinger (J.Ratzinger, *Popolo e casa di Dio in Sant'Agostino*, trad, ital. Jaca Book, Milano 1978, vedere soprattutto alle pp. 179 e ss.) come il concetto di chiesa venga da S.Agostino precisato nel rapporto che esiste tra Chiesa come Popolo e chiesa come edificio. *"Appellamus ecclesiam basilicam, qua continétur populus, qui vere appellatur ecclesia"*, cioè nel rapporto che si instaura tra "chiesa di pietre" e "chiesa di persone". Mentre la vera Ecclesia è quella delle "pietre vive", la comunità dei fedeli, la chiesa-edificio svolge un ruolo connesso ad essa: quello di contenerla, di riunirla, di indicarla, di rappresentarla.

Da questa concezione la realtà dell'architettura sacra - immagine e figura della Ecclesia viva - emerge con uno specifico e particolare spessore: che le conferisce entro le altre arti un ruolo speciale.

Dato che tra le rappresentazioni che le arti danno dell'esperienza religiosa, l'architettura svolgerà quello di rappresentazione e di espressione non di singoli aspetti della devozione, della sua vita, e della teologia, ma di globalità testimoniale della Ecclesia orante nel singolo tempo storico.

Di qui l'importanza affidata al concetto di "chiesa di pietre", il quale - immerso com'è nel tema dell'essere "rappresentazione" e "figura" - entra nel campo del grande compito che la Chiesa cattolica ha affidato alle arti rappresentative quando ha respinto le condanne iconoclastiche di un declassamento, che nei secoli di tempo in tempo sono emerse. Poiché attraverso l'"immagine" prende visibilità e si fa corpo la verità trasmessa, la realtà profonda della vita religiosa. Tra

altar as such, giving the faithful a closer, more direct connection with the presence of Christ in the Eucharistic celebration, which is the first and main component of the Catholic liturgical architecture. This, with further changes: the use of the vernacular in celebrating the liturgy; the priest facing the people for a prayer which was a dialogue between the celebrants and the laity; a new, active role assigned to the voices of the people; and so forth, have contributed to consolidating, after Vatican II, the second important component of the character of Christian construction.

Upon its capacity to make evident by means of the formative procedure of the architecture the theandric character - Christ as God and Man - transmitted by the presence of Christ in the Eucharist, upon the colloquial character linked to the updated conception of the Liturgy resulting from Vatican II, upon the knowledgeable interpretation of these two fundamental aspects of sacred Christian spaces, depends the possibility to reach, in the time before the new millennium, that revelatory ability of religious experience which architecture must possess and which the subject requires. The reality of the presence of Christ, God-Man, in the Host, cannot be simply an element of the functional layout of the space, but rather, must become the significant "focus" of the space, a heart which makes one "feel" that in that place - the Eucharistic table - this life is present, that there exists a Center toward which the assembly is polarized. In order to have the reality, the thematic truth of the entire building "felt", it is necessary that its space be defined and articulated, so as to distinguish itself from other areas of the room in size, form and lighting. This creates a vital feeling in an assembly which is directed toward a vital "relationship" with this heart. Thus, there is an emotional participation as well as simply a physical one. In the external areas as well, the character of the architecture of the church must be identified and made clear. This avoids that sense of "losing" the awareness of the presence of the Church in the urban environment or the natural environment in which it is located, which has often affected research in the years following the Second Vatican Council.

Ratzinger has noted (J. Ratzinger, The Populace and the House of God in Saint Augustine, *Italian translation Jaca Book, Milano, 1978, see pp. 179 ff.) how the concept of the Church derives from St. Augustine, defined as the relationship which exists between the Church as People and the church as a building. "Appellamus ecclesiam basilicam, qua continétur populus, qui vere appellatur ecclesia" thus establishing the distintiction between the "Church as a building" and the church composed of people. While the true Church is that of "living stone", the faithful, the church building fulfills a role connected with them: that of containing them, reuniting them, indicating and representing them. From this conception, the reality of sacred architecture emerges - image of the Living Church - with a specific and particular depth: which provides among other things, a special role. Given that, among the representations that the arts give to the religious experience, architecture is that which provides representation and expression, not of individual aspects of devotion, of its life, and of theology, but, instead, of a global testimony of the Church, praying in a single historic epoch. This gives rise to the importance attached to the concept of "church of stone", which - submerged, as it is, in the theme of being a «representation», and a «figure» - enters in the area of the enormous task which the Catholic Church has entrusted to the figurative arts when it rejected the iconoclastic accusation of a demotion, which over the centuries has arisen from time to time. Because it is through the "image" that the profound truth of the religious life becomes visible and takes form.*

Between the "Church of Stone" and the "Church of Prayer", there is, therefore, a close connection: the first has the role of determining

"chiesa di pietre" e "chiesa di preghiera", esiste quindi una profonda connessione: essendo la prima atta a determinare e consentire proprio quella liturgia ecclesiale che è il livello più alto della preghiera cattolica. Un consentire che permette l'atto liturgico nel suo pieno sviluppo devozionale verso quella Presenza divina, la quale, dopo l'incarnazione di Cristo si è fatta concreta in terra.

Se questo è vero allora l'architettura delle chiese troverà proprio in ciò il suo centro, la sua "identità" dovrà cioè essere e farsi "immagine", figura, spazio di questo particolare spessore umano-divino che vive nella liturgia del Popolo di Dio riunito per rinnovare la preghiera a Cristo uomo-Dio. Dell'uomo che nella preghiera esce da sé ed evoca la carità di Cristo, onde ritrovare il centro al suo divenire al suo errare nel tempo e nello spazio.

Per questo, ulteriore aspetto dell'organismo sacro su cui occorre richiamare l'attenzione, è quello che attiene al rapporto tra edificio e città, nella sua caratterizzazione esterna. Esso costituisce carattere fondamentale per il valore significativo della dimensione religiosa nel mondo. Cioè sul ruolo che l'edificio chiesa ha nei confronti del quartiere, di cui è cellula animatrice ed in cui deve vivere come segno della presenza cristiana.

Si è segnalato in altra sede come per alcune correnti della teologia post-conciliare, in particolare quelle che hanno teorizzato una totale positività del secolarismo, l'essere la Chiesa segno evidente della presenza del Cristo nel quartiere costituisse problema; fino a patrocinare la riduzione del suo ruolo a "semplice e funzionale centro comunitario". Entro cui ridurre la presenza della Chiesa nella città dell'uomo. Donde una pesante riduzione del valore espressivo e significativo dell'edificio, che dimentica la dimensione di luogo della Presenza di Cristo, della preghiera e della contemplazione.

Non sarà allora strano scoprire - sull'onda di questa concezione riduttiva - come alcuni organismi costruiti in questo trentennio pesantemente incorrano in una sorta di appiattimento regressivo della loro immagine pubblica, di "nascondimento" di quel rapporto "verticale" e trascendente, che è proprio del tema. Un opaco "ritirarsi", che nasce per lo più dalla sfiducia stanca verso il giudizio sul mondo: verso il quale invece il cristiano deve essere desto (essere nel mondo senza essere del mondo). Un ripiegare riducendo il valore provocatorio nei confronti dell'autosufficienza immanentistico-materialistica della società opulenta, insito nella presenza giudicante del Cristo incarnato.

Il richiamo alla necessità che l'edificio chiesa si ponga come visibile segno della presenza del sacro entro la città degli uomini, che qui si patrocina, non significa in alcun modo adesione alla ecclesiologia dell' *"Ecclesia triumphans"* o nostalgia per quella monumentalità architettonica propria di epoche passate; ha il significato di sollecitare un superamento della riduttiva ecclesiologia del secolarismo, che tanti problemi ha creato per la vita della Chiesa nel tempo del post-Concilio.

La presenza significativa delle chiese nel quartiere dovrà essere coniugata con la sapienza di un colloquio dei volumi e dei rapporti con le case degli uomini; senza innaturali concorrenze o ricerche di affermazioni di prestigio dimensionale. Cosa dall'altro sconsigliata dalla necessità di contenere i costi di costruzione entro livelli modesti, non solo per la generale scarsità di risorse della Chiesa italiana.

La cosa che più colpisce nella intenzione riduttrice descritta sopra è la stranezza nella Chiesa di inibizioni espressive, in presenza di un mondo dell'espressività esaltata, quale è quello attuale; nella quale ogni attore sociale tende ad evidenziare, forzandolo anche, il peso del proprio ruolo e l'importanza della propria presenza. In questo contesto cioè non solo è sbagliato, ma è innaturale che la Chiesa - che è segno della Presenza che conferisce senso al mondo - si "nasconda" o tenda ad attutire questa specifica identità.

and permitting precisely that ecclesiastic liturgy which is at the highest level of Catholic prayer. An "agreement" which permits the liturgy in its fullest devotional development toward that divine Presence, which, after the incarnation of Christ, became concrete on earth.

If this is true, then church architecture will find precisely in it its center, its "identity" should, that is, become "image", figure, space for this particular human-divine depth which lives in the liturgy of the People of God, who have come together to renew prayer to Christ, man-God. For man, who in prayer forgets himself and calls upon the charity of Christ, in order to re-discover the center of his becoming and his wandering in time and space.

For this reason it is necessary to call attention to yet another aspect of the sacred organism: that which applies to the connection between buildings and the city, in its external characterization. This constitutes a fundamental characteristic of the significance of the religious dimension in the world. That is, on the role which the church building fulfills with respect to the neighborhood, of which it is a vital part and in which it must live as a testament to the presence of Christianity.

It has been noted in other manuscripts written after the agreements, in particular those which presented the theory of a total secular positivism, that the Church as an evident sign of the presence of Christ in its neighborhood would constitute a problem: to the point of suggesting the reduction of its role to that of "a simple, functional community center". In which the presence of the Church in the city of man would be reduced. Whence there would be a marked reduction in the expressive and significant value of the building, forgetting the dimension of the place in which Christ is present, which is dedicated to prayer and contemplation.

It does not come as a surprise, therefore, to discover - on the strength of this reductive concept - how a number of organisms constructed in the last thirty years fall into a kind of regressive flattening out of the public image, of a "hiding" of that "vertical", transcendent relationship properly that of the subject. An opaque "withdrawal", which arises in most cases from a tired distrust of the judgment of the world: toward which, instead, the Christian should be attentive (should be in the world without being of the world). A withdrawal reducing its provocative value with respect to the immanentistic - materialistic self-sufficiency, of the opulent society, inherent in opulent society, inherent in the judging presence of Christ made man.

The reminder of the necessity that a church building offers itself as a visible sign of the presence of the sacred within the city of men, that here it supports itself, does not in any way indicate adhesion to the ecclesiology of "Ecclesia triumphans", which has created many problems for the life of the Church in the post-Conciliar era.

The significative presence of the church in the neighborhood should be combined with the wisdom of an examination of its books and of the relationship with the houses of the people; without any unnatural competition or attempt to affirm a prestigious dimension. Something which is, in any case, discouraged by the need to maintain the costs of construction within modest levels, not only by reason of the general lack of resources of the Italian Church.

What is striking about the reductive aim described above is the oddity in the church of meaningful inhibitions, in the presence of a world of exalted expressivity, such as the present, in which each actor tends to make evident, possibly even exaggerate, the weight of his own role and importance of his own presence. In the context, this is not only erroneous, but it is also unnatural that the Church - which is the sign of the Presence which gives a meaning to the world - should "hide" itself or tend toward the weakening of this specific identity.

The architectural tools which serve to attain the desired result can be

Gli strumenti architettonici, utili ad ottenere lo scopo, potranno essere i più vari: dal recupero degli archetipi dell'immaginario religioso cristiano - la torre, il campanile, il tiburio, il sagrato, la cupola, il quadriportico e così via -, al recupero dei relativi valori simbolici e denotativi; valga per tutti il segno del campanile, il quale resta uno dei pochi progetti di semplice e chiara evidenza ecclesiale, oltre che utile riferimento orientatore nell'appiattimento omogeneizzante dell'edilizia delle attuali periferie urbane. I quali strumenti - per conformare una costruzione con specifica identità simbolica - potranno far subito cogliere la particolarità della presenza religiosa: evitando innaturali elefantiasi volumetriche ed innaturali gare dimensionali.

Dall'esemplarità con cui si evidenzierà la rifondazione ontologica della progettualità architettonica, su cui si fonda il rilancio di modi espressivi ricchi di qualità identificative, le procedure progettuali dell'architettura tout court potranno ricavare processi fecondi per un reale oltrepassamento della attuale "transizione" entro cui viviamo oggi, connotata dalla fine di quegli "ismi" che hanno segnato il percorso del secolo.

quite varied: - the tower, the belfry, the tiburio, the sacristy, the dome, the square porch, and so forth - thus recovering the relative symbolic values and denotatives. The significance of the bell tower applies for all, because it is one of the few simple and clearly ecclesiastical projects, in addition to being a useful point of reference in the homogenizing leveling of building in present day peripheral areas. The tools of this leveling - to shape a building with a given symbolic identity - could aid in immediately imparting the characteristics of a religious presence: avoiding the unnatural presence of elephantiasis of volumes in the construction along with unnatural competitions of size.

From the exemplarity with which the return to ontological principles in architecture is manifested and on which are based modes which are richly expressive and qualitatively identificative, the architectural design process as such can obtain prolific processes for a true leap forward in the present age of "transition" in which we live today, characterized by the end of those "isms" which have marked the path of the century which is now coming to an end.

Claudio Traversi: Resurrezione/*Resurrection*
Vetrata della Chiesa di S. Carlo da Sezze - Roma, 1987
Stained glass of S. Carlo from Sezze Church - Rome, 1987

LA *DOMUS·ECCLESIAE*, SIMBOLO DELLA COMUNITÀ CRISTIANA
THE DOMUS ECCLESIAE, *SYMBOL OF CHRISTIAN COMMUNITY*

Andrea Baciarlini

Roxolana Luczakowsky:
Icona della Beata Vergine Maria, 1975
Icon of BVM, 1975

"Andate ed ammaestrate tutte le nazioni, battezzandole nel Nome del Padre e del Figlio e dello Spirito Santo" (Mt 28,19)

Questo mandato del nostro Signore Gesù è oggi più che mai attuale essendo ancora vaste zone del pianeta ancora non evangelizzate, e richiedendo una nuova ed incisiva opera di rievangelizzazione quelle zone tradizionalmente cristiane. A questo grande compito Gesù invia la Sua Chiesa, l'*EKKLESIA*, (da *ek kaleo*) ossia coloro che dalle diverse parti sono richiamati insieme, sono riuniti (da Dio Padre), in un solo luogo sono congregati. La stirpe eletta, il sacerdozio regale, la nazione santa, il popolo che Dio si è acquistato perché proclami le opere meravigliose di Lui che vi ha chiamato dalle tenebre alla sua ammirabile luce; *"voi che un tempo eravate non-popolo, ora invece siete il popolo di Dio"* (I Pt II, 9ss). In questa frase è senza dubbio rinchiuso tutto l'ineffabile mistero della Chiesa che appunto di mistero si tratta ossia, secondo la radice etimologica del termine nella lingue greca e latina, di cosa recondita, quasi occulta ma intimamente connessa con l'essenza stessa della Chiesa.
In particolare, trattando questo intervento dell'edificio liturgico dove tale assemblea ecclesiale si riunisce, appare da ciò evidente come esso non possa essere un vuoto contenitore qualsiasi di un'indefinita attività celebrativa, ma la "casa" di una determinata comunità cristiana storicamente inserita e vivente in un preciso contesto storico ed ambientale; di qui la necessità che tali precisi assunti siano ivi espressi attraverso l'uso semantico di quel particolare linguaggio che è l'arte, attraverso i suoi tramiti figurativi e rappresentativi che sono l'architettura, in primo luogo, la scultura e la pittura con tutte le loro derivazioni (il mosaico, le vetrate artistiche etc.) secondo un linguaggio coevo e rispondente all'esigenze comunicative delle generazione umana che di esso fa uso; poiché diversamente vorrebbe dire rimanere ancorati a modelli storici obsoleti (non necessariamente molto lontani nel tempo)

"Go, therefore, make disciples of all the nations, baptise them in the Name of the Father and of the Son and of the Holy Spirit" (Mt. 28,19).

This command of the our Lord Jesus Christ is today more urgent than ever as there are vast zones of the planet not yet evangelized, and even those zones tradizionally christians require a new and incisive reevangelization.
This huge task Jesus gives to his Church, the EKKLESIA, *(from the greek verb, ek kaleo) that is those people whom He has called together from the different parts, the peoples gathered togheter by God the Father, in one place.*
"The chosen race, a kingdom of priests, an holy nation, a people to be a personal possession to sing the praises of God who called you out of the darkness into his wonderful light; once you were a non people and now you are the people of God" (I Pt. 2,9). This sentence without doubt encompasses all ineffable mystery of the Church; that note of mystery, that is, according to the etymological root of the word in the languages Greek and Latin, of something apart, almost hidden but intimately connected with the essence of the Church.
In particular, being matter of this intervention about the liturgical building where the assembly of the Church meets, it appears from that evident as the church cannot be an empty space used for any purpose, but the "house" of a particular Christian community, historically inserted and living in a precise historical and environmental context; so it is necessary that those peculiar assumptions be there expressed throught the semantic use of the particular language of art, through its figurative and representative mediums such as architecture mainly, sculpture and painting with all their derivations (the mosaic, the stainedglass windows etc.) according to a contemporary language and in conformity with the communication needs of the peoples who use it; contrary, we would remain anchored to historical obsolete models (not

e non rispondenti al momento attuale, disconoscendo in parte l'azione vivificante e perennemente rinnovativa dello Spirito Santo, che anche in questo delicato e quanto mai importante campo richiede di reificare con coraggio il rinnovamento conciliare in ambiti spaziali odierni, adatti alla celebrazione dei sacri misteri secondo le norme liturgiche rinnovate, ambiti sicuramente legati alla visione artistica coeva di una determinata comunità ecclesiale, ma anche profondamente ancorati ed inviluppati alla tradizione storica propria, per far sì che un giusto rinnovamento formale non diventi pretesto per uno stravolgimento prossemico dell'edificio liturgico, od anche che per evitare ciò si rimanga, a causa di un mero gusto formale, ancorati a stilemi passati oggi inadatti ed obsoleti, conservando del passato non tanto l'organizzazione ed i rapporti spaziali intrisi di significato, ma solo l'aspetto stilistico e geometricamente formale, slegato dal contesto e dal suo significato semantico, confondendo "la Tradizione" come un passivo e ripetitivo addizionarsi di annessi e concetti spaziali già visti ed usati in tempi precedenti, senza neppure ripensarli tramite la loro ricollocazione storica e contestuale, e la loro vera interpretazione intrinseca; a questo esempio posso citare il caso della "tipologia basilicale", tante volte invocata come tradizionale; tipologia con la quale si intende normalmente un edificio di pianta rettangolare allungata concluso in uno dei due lati minori con un'abside, organizzato al suo interno con una marcata zonizzazione che prevede il posizionamento dell'assemblea in un'infinita serie di banchi paralleli direzionati verso il "presbiterio" organizzato ed isolato in abside, quasi un proscenio teatrale, secondo quello schema che Bouyer stigmatizza come frutto di una visione solamente clericale dell'evento celebrativo sottolineandone il carattere assolutamente inadeguato e non esaustivo di tale interpretazione della liturgia, senza invece far riferimento ai numerosissimi casi di chiese basilicali, delle diverse epoche storiche, ma in particolar modo di quelle paleocristiane, sia in ambito siriaco e palestinese, sia in ambito romano e nordafricano, dove i rapporti dimensionali e spaziali sopraesposti erano usati in modo differente e con maggior libertà e creatività, dando luogo ad esempi di edifici ecclesiali assolutamente eccezionali e quanto mai attuali nelle loro spazialità e relazioni tra i diversi ambiti.

Proprio per questi motivi, analizzare e ripensare in ogni epoca il linguaggio artistico usato è necessario e rigorosamente d'obbligo, al fine di verificarne costantemente l'attualità e la concordanza con il pensiero e lo stile di vita della generazione coeva, per essere così veramente in sintonia e quindi vero mezzo comunicativo del pensiero e della visione ecclesiologica che la comunità cristiana ha di sé stessa, come già avvenuto normalmente durante le epoche passate.

Alla luce di tutto ciò, analizzando la qualità artistica attuale che ci circonda, in particolare nel campo architettonico, rimaniamo abbastanza sconcertati, rilevando una enorme quantità di opere recenti che hanno una certa difficoltà di espressione, rimanendo quindi di difficile interpretazione; o quando anche riescono ad esprimersi, esse comunicano concetti e messaggi che poco hanno attinenza con il sopracitato mistero della Chiesa, con la sua stessa essenza e la sua rivelazione al mondo, essendo intrise di concetti ed ideologismi, nella maggior parte dei casi anche religiosi, ma sicuramente insufficienti ed incompleti ad esprimere la realtà ontica della comunità cristiana e le valenze che essa imprime allo spazio dove si riunisce e celebra. Al contrario di molti edifici storici, che invece rimangono preziosa testimonianza non solo di un'epoca che fu, ma anche e soprattutto di un vissuto concreto e reale di comunità cristiane che seppero esprimere, con coraggio ed in accordo con il loro tempo, il segno della loro presenza e della loro fecondità spirituale, che si tradusse anche in fecondità creativa ed artistica, anche se *"non in tutte le epoche, tuttavia, la liturgia, ha avuto lo stesso ruolo predominate: in alcuni periodi storici, specialmente dal medioevo all'epoca presente (quindi circa 13 secoli di storia!) altri fattori hanno influito, come lo spirito devozionistico o il dialogo con la cultura e con l'arte, prevalendo di fatto rispetto alla*

necessarily very distant in time) that are not in conformity with the present moment, disowning the vibrant and ever renewing action of the Holy Spirit, which also in this delicate and so important area requires to carry out with courage the renowal of the council to build modern spatial precints, suitable for the celebration of the holy mysteries according to the renewed liturgical norms, precints surely linked to the contemporary artistic vision of a certain Christian community, but also deeply anchored and enveloped to its own historical tradition, to ensure that a correct formal renewal does not become a pretext for an expressive distortion of the message that the liturgical building is meant to convey, and also to avoid that we remain, only for a mere formal taste, anchored to past styles wich are today unsuitable and obsolete, preserving from the past not so much the organization and the spatial relationships full of meaning, but only the stylistic and geometrically formal aspect, untied from the context and from his semantic meaning, confusing the "Tradition" like a passive and repetitive adding up of annexes and spatial concepts already seen before and used in previous times, without not even considering them through their historical and contextual replacement, and their true intrinsic interpretation; for example I could quote the case of the "basilical typology" often quoted as traditional; typology normally expressing a building of rectangular lengthened plan, enclosed at one end with an apse, organized on the inside with a marked area giving the position of the assembly in an endless series of parallel benches facing towards the "sanctuary" wich is organized and isolated in the apse, almost a theatrical proscenium, in line with that scheme that Bouyer stigmatizes as a fruit of a vision only clerical of the celebrative event, underlining the character absolutely inadequate and not exhaustive of this interpretation of the liturgy, without instead reference to the numerous cases of basilical churches, during the different historical epochs, especially those Paleocrhistians, the Syriacs and the Palestinians, the Romans and the NorthAfricans, where the relationships dimensional and spatial referred to above were used in a different way and with more freedom and creativeness, giving us examples of ecclesial buildings wich are absolutely exceptional and "contemporary " in their interior space and in the relationship between the different areas.

For these reasons analyze and consider in each epoch the artistic language used it is absolutely necessary and strictly obligatory, to check constantly the actuality and the accordance with the thought and the life style of the contemporary generation, to be in that way really according with those, and to be therefore a true means of communicating the thought and the ecclesiological vision that the Christian community has of itself, as happened normally in the past epochs.

In the light of all this, analyzing the artistic actual quality of our surrounding, particularly in the architectural field, we are puzzled, at the enormous quantity of recent work that has a certain difficulty of expression, and being so of difficult interpretation; or when those works succeed in expressing, they communicate concepts and messages that have only little connection with the above mentioned mystery of the Church, with its essence and its revelation to the world, being full of concepts and ideology, in most cases religious, but surely insufficient and incomplete to express the existential reality of the Christian community and the values it imparts to the space where it reunites and celebrates. Many historical buildings, on the other hand, are still a precious testimony not only of an epoch that was, but also and above all of a living concrete and real community of Christians that knew how to express, with courage and in accord with their time, the sign of their presence and of their spiritual fertility, translated in creative and artistic fertility; even if "liturgy has not had, the same predominant role in all the epochs: in any historical period, especially from the Middle Age to the present epoch (therefore around 13 centuries of history) other factors have influenced the building of churches, such as the devotionistic spirit and the dialogue with culture and with art, often prevailing over respect

prospettiva liturgica" come recita nel I° Capitolo il documento della CEI del 1996 sull'adeguamento delle chiese secondo la riforma liturgica, il quale con questa affermazione implicitamente sposta l'obiettivo di riferimento ad altri periodi storici in particolare ai primi secoli, anteriori al medioevo) che non ai tredici secoli sopracitati.

Quanto sopra può aiutare a chiarire il nostro disagio verso l'edificio liturgico ecclesiale contemporaneo, e ci rimanda ad una domanda spontanea: perché è avvenuto e continua ad avvenire tutto ciò? Le cause sono sicuramente molteplici.

La prima può senza dubbio essere che il Movimento Moderno e l'edificazione successiva hanno ridotto e semplificato tutto togliendo l'emozionalità dello spazio liturgico, non rispondendo alle istanze esposte, privilegiando solo gli aspetti architettonico-urbanistici e funzionali-tecnologici dell'edificio, sminuendone così il suo significato simbolico.

Un'altra può essere l'approccio superficiale o la parziale non conoscenza da parte degli addetti ai lavori (progettisti e commissioni giudicatrici) della più genuina tradizione simbolica e figurativa del repertorio dell'edificazione liturgica cristiana, pur nei suoi numerosissimi esempi e nelle modalità diverse per epoche e stili, aggravato a volte da una certa non precisa conoscenza profonda della teologia del messaggio evangelico stesso (intendendo per conoscenza anche il vivere concretamente quel messaggio, non solamente la cognizione intellettiva del medesimo) da parte dei progettisti che quindi si trovano ad ideare ed a dare forma a qualcosa in qualche modo estraneo al loro essere, fenomeno in certo modo riconducibile alla scristianizzazione caratterizzante fortemente la nostra attuale società costretta a vivere all'interno di una grande crisi di fede, ed alla contemporanea desacralizzazione, particolarmente grave nel campo dell'edificazione liturgica in quanto causa della riduzione a luogo laico ed a-religioso, di un luogo che è invece intimamente costituito delle valenze sacre e del carattere sacrale e misterico, non in un senso banalmente e popolarmente pietistico o devozionistico, ma come derivazione del carattere sacro delle azioni e misteri che al suo interno vengono celebrati da un popolo regale, sacerdotale e profetico per definizione originaria e costituente, grazie al suo Battesimo. Riguardo ciò è assolutamente pertinente un intervento di S. Ecc.za Mons. Saraiva Martin, che sottolinea l'importanza della formazione liturgica e teologica degli architetti progettisti e degli artisti per adempiere a quello che chiama "vero ministero liturgico a servizio della comunità cristiana", come segno di fedeltà sia alla Tradizione della Chiesa, sia all'uomo contemporaneo. Infatti l'architettura liturgica può svolgere un'importante compito che è quello di supportare con forme ben identificabili e linguaggi che le sono propri l'annuncio kerygmatico e la successiva crescita della comunità cristiana. Per questo oggi, forse più che in altri tempi, sono necessari alla Chiesa architetti ed artisti che conoscano e vivano la liturgia, esistenzialmente coinvolti ed interessati, in grado di tradurre in forme costruite le richieste che le comunità cristiane formulano, ideando odierni spazi liturgici adatti alla liturgia contemporanea, nuovi nella concezione e nelle forme, ma comunque sempre nati nel solco della lunga e proficua tradizione già vissuta.

Per queste ragioni si può capire che se oggi abbiamo in molti casi uno scollamento così evidente tra la chiesa-edificio ed il sentirsi ed identificarsi come comunità del popolo cristiano, ciò va ricercato in motivazioni più profonde che la scarsa conoscenza delle normative liturgiche e teologiche attuali riguardanti questo delicato aspetto della vita ecclesiale; o più chiaramente, usando altre parole: oggi molte chiese-edificio ultimamente costruite sono inadatte (non dico brutte perché le categorie estetiche non sempre sono utili ad inquadrare precisamente il problema trattato) allo scopo per cui sono state edificate, quello cioè di essere "contenitore significante e coadiuvante" dell' evento celebrativo e liturgico cristiano; un "cenacolo" (è importante notare che il cenacolo è in certo qual modo un luogo estraneo al rituale ufficiale e templare della tradizione ebraica, essendo una normale stanza

for the liturgical perspective" *as quotes the I° chapter in the document of the CEI of the 1996 about the renovation of the churches according to the liturgical reform, which with this affirmation implicity moves the object of reference to other historical periods (particularly to the first centuries, anterior to the middleage) apart fromt the 13 centuries mentioned.*

All overquoted could helps us to clarify our uneasiness toward the contemporary liturgical building, and does this give rise to a spontaneous question: why has this happened and why does it continue to happen? The causes are surely manifold.

The first without doubt is that the Modern Movement and the following building tended towards reducing and simplifying all architecture, taking away the emotion of the liturgical space, not in accord with the exposed appeals, taking consideration only the aspects of architecture and town-planning, and also the functional and technological aspects of building, thus diminishing its symbolic meaning.

An other cause could be the superficial approach or the lack of appreciation on the part of those responsible (planners and commissions) of the genuine symbolic and figurative tradition of the repertory of the Christian liturgical building, with its numerous examples and different figures in epochs and styles, increased often by an insufficient knowledge of the theology of the evangelical message (interpreting this with the real living of that message, not only the intellectual knowledge of it) by the planners that must conceive and give form to something extraneous to their life, and that phenomenon is in certain way connected with the decrhistianization. characterizing strongly our society forced to live in the midst of a big crisis of faith, and also with the contemporary desacralization, particularly serious in the field of liturgical building, being this the cause of the reduction to a mere secular and a-religious hall of a building that should have intimately constituted of holy values and of sacred and mysterious character, not in a banal pietistic and devotionistic sense, but derivated from the sacred character of the actions and mysteries that are celebrated there in for a regal, priestly and prophetic people, for originating and constituent definition, coming from its Baptism. As regards of this is absolutely pertinent an article of S. Ecc.za Mons. Saraiva Martins, wich underlines the importance of the liturgical and theological formation of architects, planners and artists who perform what he calls a "true liturgical office of service of the Christian community," as a sign of fidelity to the Tradition of the Church, and to the contemporary man. In fact liturgical architecture could have an important role that is to help the kerygmatic announcement and the following growth of the Christian community with easily identifiable forms and proper languages. That is because today, perhaps more that in other times, it is necessary for the Church to have architects and artists that know and live the liturgy, deeply involved and interested, able to translate into built forms the values that the Christian communities formulate, creating today liturgical spaces suitable to the contemporary liturgy, new in conception and in form, but always having roots in the furrow of the long and profitable lived tradition.

For these reasons we can easily understand, if there is today a divergence in many cases so evident between the church-building and the being and identification as community of the Christian people, that the causes are deeper than the superficial acquaintance of the actual liturgical and theological norms about this delicate aspect of the life of the church; in other words, more clearly: today many church-buildings recently built are unsuitable (I don't say ugly, because the aesthetical categories are not always useful to frame the problem precisely) to the purpose for which they were built, that is to be "significant and helping containers" of the christian celebrative and liturgical event; a "coenaculum" (it is important to notice that in the Jewish tradition the "coenaculum" is in a certain way an extraneous place to the official

di una casa qualsiasi, dove era previsto che si dovesse celebrare l'evento centrale dell'ebraismo, cioè la Pasqua, l'Haggadàh di Pesàch), una "domus ecclesiae" (tenendo quivi in dovuto conto sia le tradizioni sinagogali delle prime comunità cristiane sorte in ambiente giudaico, sia le altre tradizioni delle prime comunità cristiane sorte in ambiente gentile). Molti edifici della recente edificazione postconciliare, hanno ripreso vecchi stilemi, rinnovandosi nei materiali solamente; altri hanno invece preso a riferimento forme e tipi da edifici sociali che nulla hanno a che vedere con l'edificio liturgico; altri ancora hanno inventato una nuova simbologia assolutamente slegata dalla tradizione ed anche un po' kitsch (si pensi alla chiesa a forma di pesce, a quella a forma di Golgota...etc.), per cui si è determinata una situazione nella quale troviamo numerose comunità che si trovano a dover frequentare una chiesa senza amarla, senza sentirla rispondente al proprio "sensum fidei", stravolto anche dalla scomparsa di segni specifici dell'edificio liturgico, riconoscibili nel contesto urbano come la cupola, il campanile, l'abside, la facciata principale, e molti degli annessi architettonici che caratterizzavano l'edifico liturgico tradizionale, con una tipologia evolutasi ed arricchitasi nel tempo, ma fondamentalmente consolidatasi nei secoli, di modo che spesso si stenta a riconoscere se si ha di fronte un centro sociale, un teatro, un centro commerciale, un parcheggio multipiano o una chiesa. Anche all'interno, spesso disadorno e triste e stranamente illuminato, non sempre risulta facile stabilire delle gerarchie spaziali rispetto ai vari fuochi liturgici ed ai vari ambiti, e comprendere in chiave catechetica le relazioni tra altare ed ambone, tra sede ed assemblea, tra fonte battesimale e penitenziaria, per cui il senso di disagio aumenta, e non viene favorito il senso assembleare e celebrativo delle azioni liturgiche che vi si celebrano. Poiché "tra assemblea celebrante ed edificio nel quale avviene la celebrazione sussiste un legame profondo: la celebrazione della liturgia cattolica è tutt'altro che indifferente all'architettura e, viceversa, l'architettura di una chiesa non lascia indifferente la liturgia che vi si celebra" (documento CEI 1996 sull'adeguamento delle chiese secondo la riforma liturgica), anche se in alcune epoche si è invece preferito privilegiare l'aspetto formale e stilistico dell'edificio chiesa a scapito della qualità dell'azione liturgica, con un'accademica ripetizione di stili dettati in architettura, ma di basso livello significante e rappresentativo del raduno liturgico del popolo cristiano, e delle azioni sacre a cui partecipa.

Ancora oggi assistiamo in molti casi ad estreme e spinte ricerche formali (quando almeno la qualità dell'architettura è buona, poiché in molti casi persino questo assunto elementare del costruire è disatteso) accompagnato da un'estrema vaghezza riguardo allo spazio liturgico e celebrativo, che in molti progetti è appena accennato, senza un vero studio relativo, lasciando ad un'impressionante casualità sia la disposizione dei fuochi liturgici che la loro forma definitiva, senza forti motivazioni sottostanti che studino le loro simbologie relative, anche in relazione alle rispettive tradizioni, nonché i rapporti tra di essi e rispetto all'assemblea; quindi importanti problematiche come la centralità dell'altare vengono risolte in modo geometrico, più che in chiave teologica e simbolica, non mettendo nel dovuto risalto i valori simbolici più veri dell'altare: mensa eucaristica ed alta ara; così come il luogo della Parola non sempre viene messo nel dovuto risalto, e più che amboni si hanno dei leggii, non all'altezza del compito loro affidato, di essere il posto deputato all'annuncio della risurrezione di Cristo; la sede presidenziale, a sua volta, è spesso non trattata con il dovuto rispetto, dimenticando la sua presenza simbolica anche fuori della celebrazione; così anche per la riserva eucaristica spesso si vedono strane forme e strani simboli, che poco hanno di genuino e di vero; il fonte infine viene in molti casi ridotto ad una fontana, e non trattato come "uterus ecclesiae", quale veramente è.

A fronte di tutto ciò, cercare di ovviare prendendo a riferimento alcuni momenti e stili storici, anche degli ultimi, isolati dal loro reale contesto in cui sono nati e si sono sviluppati, solo per gusto estetico o peggio per

ritual of the temple, being a normal room inside an house, where it was scheduled that the central event of Judaism, that is the Pasch, the Haggadàh of Pesàch, must be celebrated) a "domus ecclesiae" holding in due account the synagogal traditions of the first Christian community born in a Jewish environment, and the other traditions of the first Christian community born in a pagan environment). Many buildings of the recent postconciliar era have reverted to old styles, new only in the materials used; others have taken ideas for forms and types from social buildings that have nothing in common with the liturgical building; others still have invented new symbols completely unrelated to the tradition and also a little kitsch (for example the church constructed in the form of fish, an other in the form of Golgota etc), thus a situation is developing in which we find numerous communities who frequent a church without loving it, without feeling it to be in conformity with their own "sensum fidei", deprived also by the disappearance of specific recognizable signs of the liturgical building, such as the dome, the bell tower, the apse, the principal façade, and many of the architectural annexes that characterize the traditional liturgical building, with a tipology evolved and enriched in time, but fundamentally consolidated during the centuries, in that way that often is so difficult to recognize if the building is a social center, a theater, a commercial center, a parking or a church.

Also inside, often unadorned and sad and oddly illuminated, it is not always easy to establish the spatial hierarchies as regards the varied liturgical fires and the various areas, and to understand in catechetical meaning the relationships between altar and ambo, between presidential chair and assembly, between baptismal font and penitential area, for this reason the sense of uneasiness increases, and can be lost the sense of the assembly and the celebration of the liturgical actions that we celebrate. Since "between the assembly wich celebrates and the building in which the celebration happens there is a deep bond: the celebration of the Catholic liturgy is without doubt not indifferent to the architecture and, vice versa, the architecture of a church doesn't leave indifferent the liturgy that we celebrate there" (CEI document 1996 on the renawal of the churches according to the liturgical reform), even if in any epochs has been preferred the formal and stylistic appearance of the building church, with a detriment of the quality for liturgical action, through an academic repetition of style and architectural schemes, sometime formally interesting, but with a low significant and representative level of the liturgical assembly of the Christian people, and of the sacred actions to which it participates.

Still today, in many cases, we are faced with extreme and particular searching for forms (when at least the quality of the architecture is good, since in many cases even this elementary aspect of the building fails) accompanied by an extreme vagueness with regard to the space for the liturgy and the celebration, that in many plans is so vague that it is without a definite design, leaving to an impressive casualness the disposition of the liturgical fires and their definitive form, without strong underlying motivations that study their relative symbols, in relationship to the respective traditions, and also the relationships between them and the assembly; therefore some important problems like the centrality of the altar are resolved in a geometric way, rather than in theological and symbolic manner, without putting the true symbolic values of the altar in due prominence: namely eucarystic table and "alta ara"; the place of the Word is often not given due prominence, and rather than ambo we have lectern, unworthy of role assigned to that, namely to be the place appointed for the announcement of the resurrection of Christ; the presidential chair, is often not given the respect wich is its due, forgetting its symbolic presence apart altogether from the celebration; even for the place where the Eucharist is reserved we often see strange forms and strange symbols, that have little that is genuine and true; at last the baptismal font is in many cases reduced to a fountain, and not treated like "uterus ecclesiae," which it is really.

sentimento proprio, può quindi essere fuorviante e pericoloso per il momento attuale in quanto frutto di una volontà di revival, amante più di un risultato già in passato prodotto che delle motivazioni che l'hanno determinato, motivazioni che possono essere presenti anche in data odierna e che possono richiedere di venire risolte con altre forme ed altre organizzazioni spaziali, dipendenti dall'ambito geografico, culturale, storico e sociale della comunità cristiana di riferimento. Mi sembra utile citare ad esempio il caso del ciborio sopra l'altare raccomandato anche nel rinnovato rituale dell'antica liturgia mozarabica, componente architettonico ormai scomparso dall'edificazione liturgica contemporanea, quindi problema di difficile soluzione nel caso di una nuova edificazione di un edificio destinato a questo culto, ma proprio per questo sfida avvincente ed entusiasmante per la progettazione attuale, che lungi dal ripetere passivamente forme già viste, deve invece sforzarsi di reinventarne delle nuove, pur rimanendo dentro il solco della tradizione simbolica e semantica; è interessante anche il caso del nartex antistante l'Aula liturgica, spazio dell'agapé fraterna oltre che naturalmente spazio preliturgico, normalmente presente in gran parte dei paesi a clima mite e temperato per la particolare situazione climatica ed assolutamente inutile, per lo stesso motivo, in altre latitudini, come quelle dei paesi scandinavi, dove i medesimi assunti devono essere risolti quindi in altro modo, con forme architettoniche ed ambiti spaziali molto differenti.

Infatti, nel sopracitato documento della CEI del 1996 riguardante *"l'adeguamento delle chiese secondo la riforma liturgica"*, si dice nella presentazione ad opera di Sua Ecc.za Mons. Luca Brandolini che *"nel rispetto della propria tradizione, che vede negli edifici di culto luoghi privilegiati per l'incontro sacramentale con Dio, la Chiesa intende evitare sia di dissiparne i tesori sia acconsentire a relegarli al rango di oggetti da museo: una chiesa è un luogo vivo per uomini vivi"* e prosegue nell'introduzione affermando che *"l'adeguamento delle chiese è parte integrante della riforma liturgica voluta dal concilio ecumenico Vaticano II, e perciò la sua attuazione è doverosa come segno di fedeltà al Concilio"* vivendo oggi la Chiesa *"il carattere peculiare dell'attuale riforma liturgica che, secondo gli storici, è la più completa ed organica che la Chiesa Cattolica abbia mai conosciuto"* in un momento storico che necessita quindi un rinnovamento che, per derivazione, è forse il più profondo ed incisivo che l'intera storia della Chiesa abbia mai visto, sottolineando tale documento che la Chiesa *"è debitrice della sua conformazione alla relazione che la lega all'assemblea del popolo di Dio che vi si raduna. E' l'assemblea celebrante che genera e plasma l'architettura della chiesa. Chi si raduna nella chiesa è la Chiesa, popolo di Dio sacerdotale, regale e profetico, comunità gerarchicamente organizzata che lo Spirito Santo arricchisce di una moltitudine di carismi e ministeri. La Chiesa, in qualche modo, proietta, imprime sé stessa nell'edificio di culto e vi ritrova tracce significative della propria fede, della propria identità, della propria storia ed anticipazioni del proprio futuro"*. Analizzando anche lo spirito di tutti i documenti postconciliari relativi all'argomento, troviamo che grande preoccupazione è stata espressa per il luogo occupato dall'assemblea, vero soggetto dell'azione liturgica e non passivo spettatore di essa, come già ebbi modo di scrivere in un mio articolo pubblicato sulla rivista Ecclesia nel 1997, quando dicevo che le comunità cristiane che hanno tenuto in maggior conto il sacerdozio comune dei fedeli, presieduto gerarchicamente da quello ministeriale, intorno ai fuochi liturgici, veri fulcri d'interesse per l'assemblea riunita, hanno poi tradotto tutto ciò in forme materiali. Essi fecero in modo che venisse resa visibile questa loro concezione e lo svolgimento della celebrazione rituale avvenisse secondo livelli e standards partecipativi elevati, senza nessun aggiustamento o ripiego formale causato da una mancata idealizzazione primigenia del luogo fisico celebrativo e cultuale.

Anche nell' Introduzione Generale del Messale Romano in uso per tutta la Chiesa Cattolica, al n° 273 troviamo che è scritto: *"si curi a dovere la collocazione dei fedeli, perché possano debitamente partecipare, con lo*

In view of all this, try to obviate overquoted problems, using and taking as reference any periods and styles, either historical or recent, isolated from the real contest in which they were born and have developed, only for aesthetical reasons or worse for personal pleasure, could be misleading and dangerous for the present, because it is fruit only of a wish for revival, loving the result already in past product more than the motivations that have produced it, motivations that could be present also today and who need to be answered with other forms and other spatial organizations, depending on the geographical, cultural, historical and social background of the Christian community relative. It seems useful to quote for instance the case of the "cybor" over the altar also recommended in the renewed ritual of the ancient Mozarabic liturgy, an architectural component already gone from the contemporary liturgical building, therefore a problem difficult to resolve in the case of a new building of a church destined for this cult, but nevertheless a charming and fascinating challenge for the actual planning; instead of a passive repetition of existing forms, the challenge is to invent new forms, while remaining within the furrow of symbolic and semantic tradition; also interesting is the case of the " narthex", a preliturgical space for the fraternal "agapé", in front of the church and separate from the liturgical room: this is useful in countries with mild and moderate climate for the particular climatic situation, but it is not pratical, for the same reason, in places sitated at high latitudes, as the Scandinavian countries, where the same need for a space intended to friendly and sociable exchange (agapé) must be met in another way, with architectural forms and spatial areas very different.

In fact, in the introduction to the document of the CEI of the 1996 regarding "the renewal of the churches according to the liturgical reform", already quoted, His Ecc.za Mons. Luca Brandolini states "that in line with own tradition, wich sees in the building of cult as a privileged place for the sacramental meeting with God, the Church is determined to avoid dispersing its treasures or agreeing to relegate them to the rank of objects for a museum: a church is a living place for living people" and further on in the introduction it is affirmed that "the renewal of the churches is an integral part of the liturgical reform promoted by the ecumenical Vatican II° Council, and therefore its realization is a duty and a sign of fidelity to the Council", because the Church is living today "the peculiar character of the actual liturgical reform, wich according to the historians, is the most complete and organic that the Catholic Church has ever known"; it is being lived in a historic moment and requires what is perhaps the deepest and most incisive renewal that the whole history of the Church has ever seen, underlining the document that the Church "owes its conformation to the relationship wich binds her to the assembly of the people of God gathered there. It is the celebrating assembly that produces, and moulds the architecture of the church. Whoever gathers in the church is the Church, people of God priestly, regal and prophetic, a community hierarchically organized that the Holy Spirit enriches with a variety of charisms and offices. The Church, somehow, projects herself, engraves herself, in the building of cult places and she there finds meaningful traces of her own faith, of her own identity, of her own history and anticipations for her future". Analyzing the spirit also of all the relevant postconciliar documents relating, we find that great concern is expressed about the place occupied by the assembly, the subjects of the liturgical action and not passive spectators of it, as I wrote in my. article published in the Ecclesia magazine in 1997. There I affirmed that the Christian communities that have held in hight regard the common priesthood of the faithful, hierarchically presided over by the ministerial priesthood, around the liturgical fires, true fulcrums of interest for the gathered assembly, they also have expressed all this in material forms. They made visible their concept of the common priesthood of the faithful and their ritual celebrations are marked by high standards levels of participation, without any of the adjustment or formal shift, needed

Frederick E. Hart:
La Croce del Millennio, 1992
The Cross of the Millennium, 1992

sguardo e con lo spirito, alle sacre celebrazioni"; purtroppo questa norma è forse la più trascurata nella progettazione dell'edificio liturgico, sia nel caso della progettazione di nuovi edifici liturgici, sia nel caso della ristrutturazione di edifici storici; anche se qui si gioca gran parte della comprensione del rinnovamento liturgico teologico e catechetico postconciliare, in quanto proprio dalla disposizione dell'assemblea dei fedeli può essere delineata l'autocomprensione che l'ecclesia ha di sé stessa e le interrelazioni che giudica importanti ed opportune, adeguate o meno; poiché sempre l'edificio costruito è segno tangibile di un'idea che si concretizza e quindi è la manifestazione dell'attuale pensiero ecclesiologico, che della partecipazione dei fedeli alle azioni liturgiche ne fa un fondamento importante dell'evento celebrativo stesso, inteso come preghiera comune, gerarchicamente presieduta e guidata, che offra la possibilità alle persone convenute, di avere delle relazioni interpersonali di tipo visivo, uditivo ed emozionale. Anche ricercando la radice etimologica della parola "partecipazione" si chiama in causa il prendere attivamente parte, l'essere attore e non spettatore di qualcosa, il "parte capere", quindi non solamente l'assistere, il vedere, il sentire, il presenziare, come può invece avvenire in qualsiasi spettacolo teatrale o concertistico, dove lo spettatore (almeno in un ambito classico delle manifestazioni sopracitate; è diverso per manifestazioni d'avanguardia) ha il suo preciso ruolo nell'assistere a qualcosa che altri operano, con il fine ultimo di dilettare l'assemblea che assiste allo spettacolo; si capisce quindi come per far ciò è fondamentale anche la disposizione spaziale dei fedeli rispetto all'area celebrativa; essi infatti nei libri liturgici sono chiamati "circumstantes" (coloro che stanno intorno a qualcosa), non adstantes (coloro che stanno di fronte), di modo che anche la loro esatta disposizione rispetto alle azioni liturgiche è prevista e desunta dalla tradizione, così come i loro movimenti e le loro processioni liturgiche all'interno delle celebrazioni stesse.

In tutto ciò appare anche fondamentale il corretto dimensionamento della stessa assemblea, prevedendone un numero adeguato dei fedeli, al fine di mantenere una rapporto sempre vivo e misurato, fissando anche un limite massimo di posti, variabile secondo le situazioni geografiche e sociali, al fine di salvaguardarne le valenze sopracitate, tenendo anche presente le indicazioni delle scienze comportamentali e della percezione che fissano a 5-6 il numero massimo di file di banchi o sedute varie per avere un'assemblea veramente partecipativa, limite al di là del quale la partecipazione decresce in modo verticale. Anche lo schema dispositivo interno deve essere assolutamente ripensato secondo le linee del rinnovamento conciliare ma anche alla luce delle esperienze già storicamente vissute, ipotizzando uno schema assembleare che contenga al suo interno lo spazio liturgico, per meglio metterlo in risalto senza che ciò significhi la sua estrapolazione dall'assemblea dei fedeli causata da un eccessivo allontanamento da essa.

Ed è così entusiasmante ritrovare segno di tutto ciò in moltissime chiese passate, anche con differenti interpretazioni, nelle varie epoche e secondo i vari stili artistici: se pensiamo alle processioni possiamo andare con la mente ai preziosi percorsi marmorei cosmateschi che arrivavano persino ad indicare, tramite motivi decorativi, gli spazi di processione e quelli di sosta nell'avvicinamento dei ministri dal portale all'altare, delineando precisamente gli ambiti celebrativi e quelli riservati allo stazionamento dell'assemblea dei fedeli; se pensiamo allo spazio celebrativo è interessantissimo seguire la differenziazione formale e decorativa usata nelle chiese nordafricane del V e VI sec., o in quelle bizantine, dove ritroviamo fortemente, ma senza cesure, marcati i vari ambiti e momenti celebrativi, come i riti d'introito alla sede del celebrante (pensiamo ai bellissimi synthronoi di quelle chiese come, ad esempio, S. Irene), i riti della Parola presso gli impressionanti amboni, ed i riti eucaristici all'altare; se pensiamo all'aspetto iconografico e simbolico è d'obbligo addentrarsi nella spazialità delle chiese bizantine, poi ripresa, seppure con nuova interpretazione, in quelle barocche, dove tutto lo spazio è coperto da una grande cupola che richiama, col suo

where this concept has been missing in the costruction.

Also in the General Introduction of the Roman Missal in use for all the Catholic Church, in n° 273 we find written: "care must be taken with regard to the space occupied by the faithful to ensure that they can duly participate physically and spiritually in the sacred celebration"; unfortunately this norm is perhaps the most neglected in the planning of the liturgical buildings, both in building of new churches and in restructuring historical ones; the place of the faithful in the liturgical celebrations is a major part of the understanding of the liturgical theological renewal and from it can be deduced the understanding wich the Church has of itself and of the interrelation considered important and opportune, adequate or less; in fact always the building is a tangible sign of an idea become reality and a demonstration of the actual ecclesiological thinking, based on the partecipation of the faithful to the liturgical actions and the common prayer, hierarchically presided over and leaded, offering to the gathered assembly the possibility of visual, auditory and emotional interpersonal relationships. Looking at the etymology of the word "participation" we find that it means to take part actively, to be an actor rather than a spectator, the "parte capere" not only being present, seeing, hearing, attending as in a theatrical or concert performance, where (at least in the classical ones; is different for vanguard performance) the spectator has its precise role to be present to something operated from other people, attended to delight the assembly present; we can understand so the importance of the spatial disposition of faithful as regards the celebrating area; in fact the liturgical books speak of "circumstantes" (those are involved), not of "adstantes" (those who are just standing there in front), in a way that even their exact disposition, their movements and their liturgical processions during the liturgical actions is scheduled and inferred from the tradition.

It is besides fundamental the correct sizing of the same assembly, providing for an adequate number of the faithful, to maintain a real and living relationship, fixing a maximum limit of seats, changing in accordance with geographical and social enviromental factors, to maintain the above mentioned values, always taking present the indications of the social sciences wich fix to 5-6 the maximum number of rows for benches or other kind of seats, to have a real partecipation for the assembly; for bigger numbers of rows the level of sharing decreases. Also the scheme for spatial interior organization must be thought over according to the norms of the concil renewal and to the light of the past experiences, hypothesizing a scheme for assembly wich leaves its center free for liturgical space, in a big prominence compared to remaining space, avoiding its extrapolation from the assembly of faithful, caused by an excessive distance.

It is really fascinating to find a sign of all that in the great churches of the past, with varied interpretations, during the different epochs and according to the different artistic styles: if we refer to processions we could find precious marble corridors, even indicating, through decorative frames, the spaces of procession and those of standstill in the approach of the ministers from the portal to the altar, exactly delineating the celebrative areas and those reserved for the assembly; if we refer to celebrative space it is very interesting seeing the formal and decorative differentiation used in the North Africa churches of the 5th and 6th centuries, or of the Byzantine churches, where we find again clearly evident, the differentiation of celebrative areas, such as those for the entrance procession to the presidential chair (precious as the "synthronos" of S. Irene church, for example), those reserved for the Word rites beside the impressive ambos, and those for the Eucaristic rite to the altar; if we want refert to iconography and the symbolism we must consider the space of Byzantine churches, then reused, with a new interpretation, in the baroque churches, where all the main space is covered by a big dome recalling, with its fascinating space, all the escatological promises continually referred by Christian liturgy, also as

fascinoso ambito spaziale, le promesse escatologiche alle quali continuamente fa riferimento la liturgia cristiana, anche in rapporto all'abside, luogo simbolico e significante, la più degna ed adeguata delle conclusioni di uno spazio direzionato come è quello liturgico, spazio focale fuori dalla usualità e dalla quotidianeità delle linee rette e degli angoli conseguenti; il tutto con il prezioso ausilio delle arti figurative, la pittura (pensiamo agli affreschi barocchi delle cupole romane) il mosaico (pensiamo alla valenza celebrativa del mosaico dell'abside di San Clemente a Roma), le vetrate (pensiamo all'emozionalità simbolica suscitata dalle vetrate della Cattedrale di Chartres); a tutti gli altri importanti annessi interni ed esterni costituenti l'edificio liturgico (organizzato intorno al rapporto dell'Aula con le altre cappelle minori), quali il portale (non normale porta solo funzionale, ma segno stesso di Cristo, porta della vita,"varco" direzionato sul percorso principale assiale tra l'esterno e l'altare, cesura che "introduce gli amici dello sposo alla sala del banchetto"), il nartex (il "transeunte", che deve introdurre alla festa, che deve passare i fedeli "all'altra riva" della celebrazione liturgica, vero e proprio spazio-filtro di preparazione all'ingresso nell'Aula, anticipo di essa, passaggio tra l'esterno del sagrato e l' interno dell' aula liturgica, in quella dinamica ecclesiale che prevede in un primo momento la chiamata della comunità effettuata dal campanile, in un secondo momento il suo radunarsi nel sagrato, in un terzo momento il suo ordinato confluire all' interno attraverso la processione che prende forma e si prepara nel nartex stesso), il sagrato (luogo più degli altri deputato alla koinonìa della comunità cristiana, anche per il suo accogliere nei suoi confini la natura nelle sue diverse manifestazioni, invito del Padre a *"gustare e veder quanto è bello che i fratelli vivano insieme"*), il campanile (sentinella dell'edificio liturgico e suo segno distintivo nello sky-line urbano, gioioso invito al raduno della comunità dei fratelli), il chiostro (vero spazio di raccordo collettivo a tutte le attività della comunità, deputato al quieto riposo dei fratelli in mistica contemplazione del creato, ed in intima comunione con il Creatore, luogo "fuori" ma interno, dove la presenza degli elementi fondamentali della natura, aria, luce, acqua, piante, animali, ha un forte valore catechetico e simbolico, " l'hortus conclusus" biblico), la stessa direzionalità dell'edificio liturgico, così importante per i segni della liturgia che si celebra, determinandone le cadenze ed i ritmi.

Cosicché oggi ci troviamo a dover ripensare per noi oggi un edificio liturgico adatto, che possa favorire e facilitare un "degno celebrare", che dia spazio alle esigenze di evangelizzazione e di catechesi, che possa favorire l'incontro dei cristiani e le opere di carità (l'Agapé fraterna).

È urgente quindi la creazione di una nuova estetica dell'edificio ecclesiale, assolutamente legata alla tradizione e rinnovata nel solco di essa, che rifugga da un inopportuno "international style" slegato dalle diverse tradizioni locali, culturali e rituali, ma abbia un'univocità di intento all'interno delle prospettive conciliari, operando nell'alveo della tradizione simbolica, segnica e semantica che duemila anni di storia ci hanno consegnato, nel costante sforzo missionario intrapreso, ricordando che dietro ogni errore prossemico fatto nell'edificio chiesa, vi è un errore teologico e liturgico. Il fallimento di tutto ciò sarebbe una grave sconfitta per noi cristiani del XX secolo, perché significherebbe la nostra impossibilità di comunicare attraverso quell' universale linguaggio che è l'arte.

Concludendo, penso che tutti gli "addetti ai lavori", noi architetti per primi, debbano riflettere perché questa generazione che si appresta a *"varcare le soglie della speranza"* del terzo millennio possa lasciare dietro sé anche nell'edificazione liturgica un'eredità degna del nostro tempo, così innovativo ed esplorativo in molti campi, affinché si possa nella nostra epoca dare corpo e compimento formale a quell'avvenimento tanto importante quale è stato il Concilio Ecumenico Vaticano II, concilio non di rottura ma di attento ricollegamento alle origini, perché anche il nostro secolo possa vedere trasformarsi in storia la verità della sua fede vissuta sinceramente e felicemente conservata e tramandata alle generazioni future.

regards to the apse, symbolic and significant area, worthiest and more adequate conclusion for an orientated space as the liturgical one; unusual and not ordinary focal space, out from banality of straight lines and of consequent angles; all that with the precious aid of figurative arts, the painting (for example, the baroque frescos of Roman domes), the mosaic (for example, the celebrative value of the mosaic in the apse of the church of St. Clemente in Rome), the stained glass windows (for example, the symbolical emotion aroused from the stained glass windows of the Cathedral in Chartres); we can also refert to every other important part inside and outside of the liturgical building (organized over the relationships of the main church with the minor chapels), such as the portal (not normal door only functional, but real sign of Christ, door of the life, oriented passage on the main axial way from the exterior to the altar, "caesura" to introduce the friends of the bridegroom to the wedding feast; the narthex (the "transeunte", to introduce in the feast, to pass the faithful "to the other side" throught liturgical celebration, true filter-space to prepare the entry into the liturgical room, anticipation of it, passage from the exterior of the churcyard to the interior of the liturgical room, in an ecclesial dynamics that sees first the call of the community effected by the bell tower, its gathering in the churchyard later, its orderly joining inside through the procession formed and prepared in the narthex at last); the churchyard (place more than other reserved for the "koinonìa" of the Christian community, also for its having nature in all different demonstrations, invitation of God the Father to "how good, how delightful it is to live as brothers all together"); the bell tower (true sentinel of the liturgical building and its distinctive sign in the urban sky-line, cheerful invitation to assemble for the fraternal community); the cloister (true space of collective link for all common activities, to provide calm rest for the community in mystical contemplation of the creation, and in intimate communion with the Creator, place "outside" but at the same time "inside", where the presence of the fundamental elements of nature such as air, light, water, plants, animals, has a strong cathechetic and symbolic value, the biblical "hortus conclusus"); the same orientation of liturgical building, so important for the signs in liturgy there celebrated, determining its rhythms.

So we have at present the need to consider a liturgical building proper for us today, able to favour and to facilitate a "good worship," answering to the needs of evangelization and catechesis, favouring the meeting of Christians and the charity services (the fraternal Agapé).

It is urgent therefore the creation of a new aesthetic of ecclesial building, absolutely bound to the tradition and renewed in the furrow of it, avoiding from an inopportune "international style" untied from the different local, cultural and ritual traditions, but having only one intent in accord with the conciliar perspectives, operating into the symbolic and semantic tradition, handed over from 2,000 years of history, in the constant missionary effort undertaken, remembering that behind each prossemic error made in the building church, there is also a theological and liturgical error. The failure of all that would be a serious defeat for us Christians of the 21st century, because it would mean our impossibility to communicate through the art, true universal language.

To conclude, I mantain that all those involved in the building of churches, we architects first of all, must reflect carefully on the overquoted implications because this generation, on the "thresholds of the hope" of the 3rd millennium, could leave behind itself also in the liturgical building a worthy inheritance of our time, innovative and exploratory in many fields; giving formal expression and a worthy setting to that central event that is the 2nd Vatican Council, not a council of breakup but a council very attentive to history and origins, in the hope that our century would see to be trasformed in reality the truth of its living faith, sincerely and happily preserved and handed down to the future generations.

SUL SIGNIFICATO DI UNA CHIESA OGGI: ALCUNE RIFLESSIONI
ON SIGNIFICANCE OF A CHURCH TODAY: SOME COMMENTS

Carlo Fabrizio Carli

Roxolana Luczakowsky:
apostoli, Polimero acrilico, 1975
apostles, polymer acrylic, 1975

"Maestro, dove abiti?"
(Gv I, 38-39)

Ad onta delle apparenze e del gran fervore di iniziative che contraddistingue questa immediata vigilia del grande Giubileo che chiude il secondo e apre il terzo millennio cristiano, e nonostante il fatto che l'edificio templare sia sempre stato, anche nell'antichità, anche molto prima dell'avvento del Cristianesimo (che gl'impresse però caratteri tutti nuovi) una tipologia fondamentale, nettamente definita, la chiesa è oggi un edificio problematico, per alcuni versi addirittura controverso.

Fatto sta che la chiesa "di pietra" è venuta a trovarsi sulla sovrapposizione di due differenti processi di crisi: una crisi propria della cultura architettonica, manifestatasi in particolare nel venir meno delle certezze fatte proprie dal Movimento moderno, e quindi soprattutto dagli anni Settanta in avanti. L'altra crisi è quella provocata dal processo di secolarizzazione che ha investito il mondo cattolico, con speciale violenza nel periodo postconciliare. È evidente, né poteva accadere diversamente, che la tipologia chiesastica ne ha risentito pesantemente.

Tanto più che essa è stata interessata da un'ulteriore sovrapposizione di circostanze: l'impiego generalizzato dei moderni materiali edilizi e gli indirizzi liturgici adottati nel mondo cattolico dopo il Concilio Vaticano II (che non prescriveva più per le chiese né particolari disposizioni architettoniche, né tantomeno indirizzi stilistici), hanno fatto sì che l'architettura godesse di massima libertà di progettazione, libertà assai spesso intesa in chiave di completo arbitrio individualistico. A tale riguardo, mi sembra che alcuni temi controversi meritino qualche riflessione. La prima riguarda la sacralità della chiesa edificio, nettamente contestata da teologi anche di vasta notorietà nel campo.

"Accolgo, nell'ambito del mio lavoro accademico, ma anche nel mio

"Rabbi, where are you staying?"
(John 1, 38-39)

To the disgrace of the fervor of enterprises which mark the current vigil of the grand Jubilee marking the close of the second and opening of the third Christian millennium, and despite the fact that church buildings have always had, even in ancient times, long before the coming of Christianity (which, however, gave them completely new characteristics), a basic typology clearly defined, the church is today a problematic building, and for several reasons, even a controversial one.

It is a fact that the "stone church" found itself in the midst of two different, overlapping crises: the first, a crisis in architectonic culture as such, which showed itself principally in the loss of the certitudes created by the Modernist movement and, therefore, above all, from the seventies on; the second was that brought about by the process of secularization which assailed the Catholic world, with special violence in the post-Conciliar period. It is clear that church typology could not but be heavily affected as a result.

It was affected even more by another overlapping of circumstances: the widespread use of modern building materials and the changes in liturgy adopted by the Catholic world after the Second Vatican Council (which no longer defined particular architectonic forms, much less provided suggestions for style). As a result, architecture enjoyed maximum freedom in design, a freedom often taken to mean complete individual choice. In this respect, it seems to me that a number of controversial points are worth further reflection. The first concerns the sacredness of the church building, clearly contested by theologians, including very well known ones.

"I welcome, in my academic duties, but also in my role of monk" writes the Dominican Father Giacomo Grasso in an article introducing the competition for "the church of the Second Millennium," which was won

ruolo di frate" scrive il domenicano p. Giacomo Grasso, in un articolo di presentazione del concorso "la chiesa del Duemila", quello, per intenderci, vinto dal progetto di Richard Meier *"tanti studenti di architettura , o giovani architetti che si cimentano in progetti riguardanti chiese. Li disarmo. Intanto perché segnalo loro che le chiese sono edifici sommamente inutili. Proprio perché tali, assai ardui da progettare. Poi perché, aggiungo, il "sacro" non appartiene al regime cristiano (...) Tantomeno si chiede di introdurre "il santo" (che è invece tipico del regime cristiano). A questo penseranno, sostenuti dal dono di Dio, quanti si recheranno nel luogo di Chiesa una volta realizzato. All'architetto si chiede tèkno, arte, tecnica, capacità di fare, non altro"* (I).

Ma è poi vero? Un illustre teologo passionista, p. Stanislas Breton, pone altrimenti la questione: *"Ho (...) qualche scrupolo a parlare del sacro. Perché la distinzione tra "sacro", ritenuto di solito come pagano, e "santo" - nella sua accezione biblica - fa parte di ciò che è stato concordato dall'insieme dei teologi cristiani. Non ho l'intenzione di negarlo. Nonostante tale accordo di principio, il semplice buon senso ci mostra che all'interno del cattolicesimo il "santo" è mescolato molto spesso con il "sacro". A sua volta, molto spesso il "santo" si è stabilito nell'antica dimora degli dei e degli eroi"* (2).

Giusto un trentennio addietro, il cardinale Danièlou formulava a questo riguardo delle osservazioni che conservano tutta la loro validità: *"Il sacro è solo una dimensione tutta interiore d'una vita peraltro esclusivamente profana, in quanto ai suoi oggetti formali e vissuta in una società profana; il sacro è solo la profondità ultima di tutta la nostra vita, o deve pure esprimersi in attività proprie, personali e sociali: preghiera, culto, liturgia, insegnamento, assemblee, feste, santuari, tutto ciò che nel senso ordinario della parola si chiama religione? A questo punto, religioso si oppone a profano, come due campi distinti dell'attività umana. È contro codesto sacro che oggi si scatena un vero furore iconoclasta. Si vorrebbe - da questi astratti distruttori - sopprimere le chiese o trasformarle in musei, sopprimere le feste religiose in cui si scorgono vestigia pagane. Né luogo né tempo sacro, riservati a Dio"* (3).

Ma, soprattutto, mi sembra inaccettabile che tocchi a "quanti si recheranno nel luogo di Chiesa", beninteso sostenuti dal dono di Dio, di assicurare l'impronta di "sacro" e di "santo" all'edificio. Il contributo di un architetto al raggiungimento del carattere sacro di una chiesa non è affidato a strane pratiche. Consiste nel rispetto, funzionale ma anche con sapienza di cuore, delle esigenze liturgiche; deriva dall'impiego di elementari simbolismi: del cielo, della luce, della croce, della porta, della torre campanaria; subordinatamente, dei materiali: la pietra e il vetro in primo luogo. Tale compito spetta all'architetto ed impronta il momento progettuale dell'edificio. Mai e poi mai potrà essere risolto a posteriori, come pure si è dovuto fare, maldestramente in certe chiese in cui era assente ogni referenza formale alla croce, ogni senso connotativo del culto.

Altra questione è quella dell'"inutilità" della chiesa, perché, dice sempre p. Grasso, *"si può celebrare l'Eucarestia da qualsiasi parte. Quando il Papa arriva in una città, per quanto grande sia la cattedrale, la grande celebrazione la si fa in uno stadio, in una grande piazza"* (4). Che sarebbe come dire che pure una casa non serve a nulla, perché l'uomo può dormire anche in tenda, o dopo un cataclisma, essere accolto in un container.

In realtà, la contestazione - comunque la disaffezione- della chiesa edificio può prendere le mosse da una difficoltà del testo evangelico, che va però interpretato. Lascio la parola - e mi scuso per la lunga citazione, che mi sembra necessaria- a p. Breton: *"Intrattenendosi con la Samaritana Gesù dichiara con forza: «Credimi, donna, è giunto il momento in cui né su questo monte (di Samaria), né in Gerusalemme adorerete il Padre» (...). Noi adoriamo quello che conosciamo perché la salvezza viene dai Giudei".*

Ma è giunto il momento, ed è questo, in cui i veri adoratori adoreranno il Padre in spirito e verità; perché il Padre cerca tali adoratori. Dio è spirito e quelli che lo adorano devono farlo in spirito

by the project proposed by Richard Meier, "many architectural students, or young architects who work on projects having to do with churches. I disarm them because I tell them that churches are completely useless buildings. And for this reason, very difficult to design. Further, because, I add, the sacred does not belong to the Christian regime (...) Much less does it ask that 'the saint' be introduced (which, instead, is typical of the Christian regime). At this point, they will think, supported by the gift of God, about how many people go to the Church once it has been built. Of the architect they require technique, art, technical capability, ability to work and nothing else." (1).

But is this true? An illustrious Passionist theologian, Padre Stanislas Breton, puts the question differently: "I have (...) some scruples about speaking of the sacred. Because the distinction between 'sacred,' considered, usually pagan, and 'holy' - in the biblical sense - is part of that which has been agreed upon by all Christian theologians. I have no intention to deny this. Notwithstanding this agreement in principle, simple common sense tells us that with Catholicism, the 'holy' is often mixed with the 'sacred.' In its turn, the 'holy' has often established itself in the old homes of the gods and the heroes." (2)

Just thirty years ago, Cardinal Danielou made, with regard to this last point, some observations which continue to be valid: "The sacred is only a wholly interior dimension of a life which is, otherwise, profane; is the sacred only the ultimate depth of all of our life, or should it also express itself in its own activities, personal and social: prayer; the cult; liturgy; teaching; assemblies; holy days; sanctuaries, everything that is in the usual meaning of the word called religion? At this point, the religious is in opposition to the profane, like two distinct areas of human activity. It is against this sacred aspect that a veritable iconoclastic fury is unleashed. What is desired - by the abstract destroyers - is the suppression of the church or its transformation into museums and the suppression of religious holidays in which they see vestiges of paganism. Neither sacred places nor times dedicated to God". (3)

But, above all, it seems to me unacceptable that it is left to "those who go to church," supported of course by God, to provide the imprint of the "sacred" and "holy" on the building. The contribution of the architect in attaining the sacred character of a church is not left to strange practices. It consists in the respect, functional, but accompanied by heartfelt knowledge of the liturgical requirements; it derives from the use of elementary symbols: the heavens, light, the cross, the door, the bell tower; and, on a lower level, the materials: stone and glass above all. This is the architect's task and characterizes the moment of design of the building. It can never ever be solved at a later time, as it has been necessary to attempt to do, clumsily, in certain churches that lacked formal reference to the cross and to all characteristic signs of the cult.

Another question is that of the "uselessness" of the church, because, Padre Grasso says, "the Eucharist can be celebrated anywhere. When the Pope arrives in a city, no matter how large its Cathedral, the celebration is held in a stadium or in some large square." (4) *This is like saying that even a house is useless, because man can sleep in a tent, or after a catastrophe be welcomed in a shelter.*

Actually, the contention - in any case the estrangement from the church-building can arise from a difficulty with the evangelical text, which, however, must be interpreted. I leave the word - and I beg indulgence for the length of the quote which I consider necessary to cite - to Padre Breton: speaking with the Samaritan woman, *Jesus says emphatically:* «Believe me, woman, the time has come in which you will not adore the Father on this mountain, (in Samaria), nor in Jerusalem». We adore that which we know because salvation comes from the Jews".

But the time has come, and it is the present, in which the true worshipers worship the Father "both in spirit and in truth"; because the Father seeks such worshipers. God is Spirit and those who adore him should do so in spirit and in truth." A cult in spirit and in truth would

e verità. Il culto in spirito e verità rifiuterebbe dunque ogni architettura sacra? Gli architetti sarebbero i maledetti del Vangelo? La fede nitida e pura dovrebbe prendere il posto della religione e del culto delle nostre chiese? Per quanto la sentenza evangelica sia pressante, si può credere, senza offendere Gesù, che l'uomo - e Lui sapeva ciò che c'è nell'uomo - è un essere di carne e di sensibilità che richiede, sia per esistere in spirito e verità che per adorare in spirito e verità, dei segni sensibili attraverso i quali si possa manifestare il Padre che è Spirito"(5).

Similmente alla necessità della chiesa di pietra, in attesa dell'avvento della Gerusalemme Celeste, per rendere possibile la stessa consacrazione, sono necessarie quelle umili, ineliminabili presenze materiali: quel pane e quel vino.

"So bene", scriveva il card. Siri, *"che i sacramenti si possono ricevere talvolta fuori del tempio e che fuori può talvolta celebrarsi la Santa Messa; ma rimane vero che il primo strumento umano per costruirsi un ambiente interiore è sempre un ambiente esterno. La chiesa lo offre"*(6).

L'edificio templare è non soltanto l'espressione materiale della comunità cristiana, ma *"casa per il Logos eterno"*(7).

Allorchè Cristo afferma che *"ove sono due o tre riuniti nel mio nome, io sono in mezzo a loro"* (Mt 18,20), Egli individua la rivoluzionaria specificità del tempio cristiano rispetto ai santuari dell'antichità. In questi, la divinità restava comunque assente; nel tempio cristiano, la presenza di Dio risulta invece reale. Anzi, a stretto rigore, si delinea qui anche la specificità della chiesa cattolica rispetto a quella protestante. Quest'ultima potrebbe essere aperta soltanto la domenica, durante la celebrazione del culto divino, restando poi chiusa il resto della settimana; mentre una chiesa cattolica dovrebbe essere aperta sempre - compatibilmente con elementari norme di sicurezza- perché costantemente è presente il Cristo eucaristico nel tabernacolo.

In questo senso, la chiesa risulta "domus Ecclesiae" in quanto è "domus Dei", analogamente alla circostanza che l'altare è mensa della Cena, in quanto è ara del Sacrificio.

Né va dimenticato che al momento dell'azione pubblica e liturgica che impronta la vita di pietà dei fedeli - momento *"più solenne, più qualificato e, per sé, più necessario"* (8), opportunamente sottolineato in epoca postconciliare - se ne affianca un altro che è quello dell'azione privata. Il fedele *"cerca un asilo, un conforto; egli ripensa la sua vita, parla con Dio seguendo non una formula ed un'azione collettiva, ed abbandonandosi ai motivi che lo riguardano personalmente o per i quali ha personale affinità o dei quali sente il personale bisogno. Egli in quel momento, che chiamiamo «a solo», scrive spesso le pagine più ineffabili della sua vita, quelle che generalmente nessuno saprà e leggerà in questa terra. Egli in quel "momento" matura ed acquista la vitalità e chiarezza utili ad essere più attivo e cosciente nell'azione pubblica, ufficiale, liturgica (...) Questo è il grande concetto: il culto cattolico non ha un solo momento, bensì ne ha due complementari tra loro. Chi pensa soltanto ad uno, non ha evidentemente capito qualcosa di sostanziale"*(9).

Mi sembra trattarsi di spunti di riflessione di molto interesse per l'architetto progettista di chiese.

reject, therefore, all sacred architecture? Are architects those cursed by the Bible? Should pure and simple faith take the place of religion and worship in our churches? Despite the urgency of the biblical statement, can we believe, without offending God, that man - and He well knew what man is – is a creature of flesh and feelings, who needs to exist both spiritually and physically and to adore both in spirit and in truth, tangible signs by which it is possible to manifest the Father, who is spirit" *(5)*

Like the need for a stone church, while waiting for the coming of the heavenly Jerusalem, in order to make possible the same consecration, the humble, essential material signs are necessary: bread and wine.

"I am aware" *wrote Cardinal Siri,* "that the sacraments can be received at times in places outside the church and that holy Mass is sometimes celebrated outside the church; nevertheless, it remains true that the basic human means for creating an interior environment is an external one. This is what the church offers man". *(6)*

The church building is not only the material expression of the Christian community but also "home for the eternal Logos" (7).

When Christ says that "For where two or three are gathered together in my name, there am I in the midst them" (Mt 18,20), He points out the revolutionary specificities of the Christian temple with respect to ancient sanctuaries. In these latter, the divinity was always absent; in the Christian church, on the other hand, God is truly present. On the contrary, this aspect defines the special character of the Catholic church with respect to the Protestant. These last might be open only on Sundays for the celebration of the sacred rites, remaining closed for the rest of the week; a Catholic church should always be open - within the basic limits of security - because Christ is always present in the tabernacle.

In this sense, the church is "domus Ecclesiae" in that it is "domus Dei" analogous to the fact that the altar is the table of Supper, in that it is the home of the Sacrificial altar.

It should not be forgotten that, at the moment of the public liturgy which marks the life of piety of the faithful - the "most solemn, most important" *moment and in itself necessary", (8) appropriately stressed in the post-conciliar era - there is another, which is that of private actions. The faithful individual* "seeks a shelter, a comfort; he thinks about his past life, speaks with God, without the use of a prepared formula and a collective action but abandoning himself to his own personal motives, or to those to which has a particular affinity or that for which he feels a personal need. In that moment which we call 'alone' he often writes the most unforgettable pages of his life, those which, in general no one will ever know about and read on this earth. In that moment he matures and acquires the vitality and the clarity necessary for being more active and more highly conscious of the public, official, liturgical action (...) This is the great concept: the catholic religion has not only one moment; it has two that are complementary. Whoever thinks of only one has, clearly, misunderstood a vital point." *(9)*

This seems to me to provide food for thought of great interest for architects who design churches.

NOTE

(1) - p. Giacomo Grasso, Tra teologia ed architettura, in "L'architettura cronache e storia", n° 484, anno XLII (nuova serie - anno II, n° 7), p. 68.

(2) - Stanislas Breton, Lo spazio sacro nel contesto cristiano-cattolico, in p. Carlo Chenis (a.c.) L'arte per il culto nel contesto postconciliare. I. Lo spazio, Stauròs, S. Gabriele 1998, p. 93.

(3) - card. Jean Danielau, Difesa del sacro, in: mons. Giovanni Fallani (a.c.), Orientamenti dell'arte sacra dopo il Vaticano II, Minerva Italica, Bergamo, 1969, p. 21.

(4) - Mario Paternostro, Lezioni di piano. Vent'anni di incontri con l'architetto, De Ferrari, Genova 1999, pp. 38-39.

(5) - p. Stanislas Breton, op. cit., pp.102-103.

(6) - card. Giuseppe Siri, La vita di pietà in una chiesa, in Orientamenti, cit., p.122.

(7) - Hugo Schnell, L'edificio sacro quale casa del Logos, in: Orientamenti, cit.,p.127.

(8) - card. Giuseppe Siri, op. cit., p.123.

(9)- card. Giuseppe Siri, op.cit., p.123.

Thomas Mc Manus:
Chiesa di S. Filippo Neri - Chicago, 1998
St. Philip Neri Parish - Chicago, 1998

LA CHIESA DEL 2000: COMMENTI DI UN ARCHITETTO TRADIZIONALISTA
THE CHURCH OF 2000: COMMENTS FROM A TRADITIONALIST ARCHITECT

Piotr Choynowski

David Mayernik:
Affresco di S. Tommaso - dettaglio, 1995
St. Thomas fresco - detail, 1995

"I progressi della scienza ci rendono evidente la grandezza del Creatore, dal momento che permettono all'uomo di realizzare un'esistenza dell'Ordine Divino inscritto nella creazione"
Giovanni Paolo II

"L'onore dovuto a Dio non dovrebbe essere macchiato dallo squallore di questa casa"
Vescovo Reginald de Bohun Fondatore della Cattedrale di Wells

Le parole del Santo Padre sebbene rivolte agli scienziati sembrano un'introduzione altamente rilevante ai commenti sul sopra menzionato concorso che in questa sede desidero presentare al lettore.
Tutti coloro che si sono dedicati al ritorno dell'architettura tradizionale si sentono esasperati dai risultati di questo concorso e dalla scelta dei concorrenti. Essa suggerisce che l'esclusione degli architetti tradizionalisti è stata intenzionale e così ciò rende difficile interpretare questo evento diversamente da una ufficiale approvazione della Chiesa del modernismo nell'arte in generale ed in particolare nell'architettura. Tuttavia, avendo in mente la parole del poeta tardo romano Rutilio Namenziano *"ordo renascendi est crescere posse malis"* (la legge della rinascita è la capacità di crescere attraverso il male), possiamo sperare che tale afflizione possa trasformarsi in un vantaggio e che di conseguenza questo infelice episodio possa diventare un'occasione per chiarire la confusione capitale che invalida la cultura contemporanea. Non è il problema, come potrebbe erroneamente sembrare, di discutere su un qualche particolare stile o sulle sue proprietà in specifiche circostanze come gli edifici sacri. E' il problema dell'arte in sé, dei suoi fondamenti e dei suoi rapporti con la Chiesa. Soprattutto, si tratta di dissipare l'impressione che l'arte modernista non è altro che la continuazione dell'arte come noi la conosciamo dalla storia, ma è in un contesto alquanto diverso da quello della modernità. Al contrario, è nostra convinzione che essa rappresenti una rottura con lo sviluppo

"Achievements of science make apparent to us the greatness of the Creator, since they allow man to realize an existence of the Divine Order inscribed in the creation"
John Paul II

"The honour due to God should not be tarnished by the squalor of His house"
Bishop Reginald de Bohun Founder of the Wells Cathedral

The words of the Holy Father though addressed to the scientist seem a highly relevant introduction to the comments on the above mentioned competition which I herewith wish to present to the reader. All who are dedicated to the revival of the traditional architecture feel exasperated by the results of this competition as well as by the choice of competitors. It suggests that the omission of traditionally oriented architects was deliberate and so makes it difficult to interpret this event otherwise than as an official sanction by the Church for the modernism in art in general and in architecture in particular. However, having in mind the words of late Roman poet Rutilius Namentianus "ordo renascendi est crescere posse malis" (the law of regeneration is the ability to grow through evil), we may hope that distress can always be turned to an advantage and that accordingly, this unhappy episode can become an occasion to clarify the cardinal confusion which invalidates contemporary culture. It is not a matter, as it might be wrongly assumed, of a discussion of any particular style or its propriety in specific circumstances such as the sacred building. It is the matter of the art itself, of its grounding and of the Church's relation to it. Above all, it is the necessity to dispell the impression that the modernist art is but a natural continuation of art, as we know it from history, but in the somewhat different context, that of the modernity. Quite to the contrary, it is our conviction that it represents a fundamental break in art's

dell'arte, sostituendosi allo "sviluppo".

Ogni riflessione sul modo tradizionale di costruire, la via che noi cerchiamo di seguire, necessariamente porta all'Ordine Divino, che Sua Santità ha in mente, come base di questo. Un Ordine che sta dietro e convalida il carattere oggettivo delle leggi dell'estetica nella stessa misura delle leggi della logica e dell'etica. Al contrario, il modernismo vede tutte queste leggi come soggettive e relative, la convinzione, le conseguenze di ciò che ha inesorabilmente segnato il nostro infelice secolo.

Durante gli ultimi 25 secoli, con l'ingloriosa eccezione degli ultimi 70 anni circa, l'arte dell'architettura si è basata sul sistema antropomorfico della proporzione rifacendosi all'uomo come fulcro della creazione fatto ad immagine di Dio. In questo modo l'architettura era il riflesso della divina bellezza, che era considerata particolarmente appropriata in un edificio sacro.

Va rilevato che modernismo non è la stessa cosa di modernità. Mentre la modernità si riferisce semplicemente ai tempi presenti, il modernismo è un'ideologia. Si potrebbe dire che è un'ideologia della modernità allo stesso modo in cui il funzionalismo è un'ideologia della funzione e non, come spesso si crede, una scuola di disegno con il comfort funzionale in mente, dal momento che il contrario è vero e il progetto funzionalista è una regola in contrasto con le vere funzioni che si suppone questo debba soddisfare.

Così i nostri avversari modernisti, che ci accusano di cercare di spostare le lancette della storia indietro o di usare le parole del Rev. Tischner, un insigne filosofo polacco, di optare per la memoria anziché per la speranza, di scegliere la via di Ulisse piuttosto che quella di Abramo, non hanno capito niente.

Non è una questione di ritorno al passato, è una questione di terreno diverso dell'attività artistica e di una posizione radicalmente diversa di un artista in relazione a quest'arte. La differenza è qualitativa e non quantitativa. Noi stiamo parlando di qualcosa di completamente diverso, di un qualcosa che non si può confrontare con niente se non con i risultati. Tra le meraviglie dell'arte classica e la monotonia della produzione modernista, il confronto difficilmente può essere a favore del modernismo. E' una differenza che non è storica (come sostengono i modernisti), ma concettuale e, come tale, è assoggettata non al processo storico, ma alla volontà umana, attraverso l'agire della quale un ritorno alla tradizione può facilmente essere realizzato. Un atto della volontà - la magistrale critica di Leon Krier sul modernismo contro l'architettura tradizionale è assai efficacemente chiamata "Scelta o Fatalità" dal momento che la ideologia del modernismo è costruita sulla negazione del libero arbitrio e del potere della ragione, a favore di forze elementari fuori dal controllo dell'uomo come lo spirito della storia (Hegel), l'evoluzione biologica (Darwin), le relazioni produttive (Marx), l'inconscio (Freud) o la massa (Ortega y Gasset). Queste forze, si pensa, trovano la loro espressione attraverso un artista geniale, che può essere Wagner, Le Corbusier o Picasso, ma anche Hitler e Stalin, il che spiega perché l'elite intellettuale occidentale aveva spesso appoggiato questi ultimi due. Questo spiega il radicale cambiamento nella posizione dell'artista rispetto a quest'arte. Da un umile servo, un professionista, fondamentalmente chiamato a risolvere i problemi, egli improvvisamente diviene il creatore di quest'arte, un demiurgo ("Sarete come dèi"). In questa operazione, l'arte, come si sapeva da sempre, cessò di esistere e rimase soltanto l'artista, una figura solitaria nel deserto, libero al massimo di indulgere in insignificanti gesti in uno spazio vuoto, la novità che rappresenta la sua unica meta e misura.

Ora, noi conosciamo la differenza fondamentale tra innovazione-l'idolo modernista- e miglioramento che è l'unica via valida dello sviluppo. C.S. Lewis l'ha brillantemente illustrata descrivendo il miglioramento come un consiglio che qualcuno dà a qualcun altro a cui piace l'insalata, che invece di comprarla è più conveniente e più fresca se la coltiva lui stesso, mentre un'innovazione sarebbe il suggerimento di mangiare le lamette. E ciò è esattamente il modo di ragionare modernista, questa è l'essenza del modernismo!

development, replacing it with "development".

Any reflection on the traditional way of building, the way which we try to follow, necessarely leads to the Divine Order, which His Holiness had in mind, as its ground. An order standing behind and validitating the objective character of the laws of aesthetics in the same degree as the laws of logic and ethics. In contrast, modernism views all these laws as being subjective and relative, the belief, the results of which has uneradicably marked our unhappy century.

During the last 25 centuries, with the inglorious exception of the last 70 years or so, the art of architecture was based on anthropomorphic system of proportion referring to man as a focus of creation made in the image of God. In this way architecture was a reflection of the divine beauty, what was considered as particularly proper in a sacred building.

It must be pointed out that modernism is not identical with modernity. While modernity refers simply to present times, modernism is an ideology. It might be said that it is an ideology of modernity on the same lines as functionalism is an ideology of function and not, as is often believed, a school of design with the functional comfort in mind, since the contrary is true and the functionalist design is as a rule in conflict with the very functions it was supposed to serve.

Thus our modernism adversaries who accuse us of trying to push back the clock of history or to use the words of Rev. Tischner, a prominent Polish philosopher,of opting for memory instead of hope, of choosing the way of Ulysses rather than Abraham, totally miss the point.

It is not a matter of a return, it is a matter of different ground of artistic activity as well as radically different position of an artist in relation to his art. The difference is qualitative and not quantitative. We are talking of something so completely different, that any comparison is impossible except of comparing the results. Setting the marvels of classical art against the drabness of modernist production, the comparison would hardly be in modernist favour.

It is a difference which is not historical (as modernists would have it) but conceptual and such it is a subject not to the historical process but to the human will, by the act of which a reversal to the tradition may easily be accomplished. An act of will - Leon Krier's masterly critique of modernism versus traditional architecture is most fittingly called "Choice or Fate" as the ideology of modernism is build upon the negation of human free will and power of reason, in favour of elemental forces outside human control such as spirit of history (Hegel), biological evolution (Darwin), production relations (Marx), unconscious (Freud) or masses (Ortega y Gasset). These forces, it is being thought, find their expression through an artist of genius, be it Wagner, Le Corbusier or Picasso but also Hitler and Stalin, what explains why Western intellectual elite had often supported the latter two.

This makes for the radical change in the position of an artist in relation to his art. From being its humble servant, a professional, fundamentally a problem-solver, he suddenly became its creator, a demiurge ("You wil be as gods"). In this operation art as it was always known ceased to exist and only artist remained, a solitary figure in the wilderness, free at last to indulge in empty gestures in a void, novelty being his only goal and measure.

Now, we know the fundamental difference between innovation- the modernist idol- and an improvement which is the only valid way of development. C.S. Lewis has brilliantly illustrated this by describing an improvement as an advise one gives somebody who likes salad that instead of buying it he will get it fresher and cheaper by growing it himself, while an innovation would be a suggestion that he should eat razor blades instead. And that is

L'architettura tradizionale, invece, si è evoluta principalmente non attraverso un'astratta relazione, ma attraverso una relazione autentica con la funzione, sviluppando i modelli di edifici combinandoli esattamente con i differenti scopi, sia funzionali sia simbolici. L'edificio della chiesa è il principale esponente di un modello nella cultura occidentale, come i tentativi falliti di cambiarlo (per esempio durante il Rinascimento) dimostrano ampiamente, anche se non è un modello canonicamente codificato come nell'Ortodossia Orientale. Per di più, il modello, sul quale sia Leon Krier sia Sir Karl Popper insistono, non può essere inventato o progettato e tanto meno arbitrariamente, ma questo è esattamente ciò che l'ideologia modernista vuole farci credere, che stia accadendo sotto i nostri occhi, grazie ad architetti di fama.

Il Prof. Duncan Stroik dell'Università di Notre Dame ha ampiamente dimostrato la futilità di un simile tentativo attraverso l'analisi del progetto vincitore dell'Arch. Meier. Il modernismo sta avanzando nel mondo irreale della propria fantasia fino al deterioramento del nostro ambiente fisico e mentale. Al contrario, i modelli degli edifici tradizionali si evolvono soltanto gradualmente come un artista che cerca di risolvere i suoi problemi artistici e non sotto la pressione del cambiamento delle esigenze.

Popper suggerisce che ciò che egli chiama "il Mondo 3"- il mondo delle strutture oggettive che sono il prodotto delle menti delle creature viventi, una volta prodotto, esiste indipendentemente da esse. Le strutture diventano la parte centralmente più importante dell'ambiente della creatura, verso la quale è orientata molta della sua più importante condotta. Essa si muove senza dire che l'arte è una delle più importanti strutture che insieme al "linguaggio, l'etica, la legge, la religione, la filosofia, la scienza e le istituzioni acquisirono una importanza centrale nell'ambiente dell'uomo rispetto al quale egli dovette poi adattarsi, e che quindi lo plasma.

Deve essere chiaro che il "Mondo 3" popperiano, il mondo delle strutture vitali alla sopravvivenza ed allo sviluppo umano, non può essere liberamente ed arbitrariamente manipolato. Ma ancora una volta che il modernismo postula. Quando diciamo manipolazione non intendiamo cambiamento. Al contrario, secondo Popper, le strutture, sebbene esse non necessariamente progrediscono, non sono soltanto aperte al cambiamento, ma esse cambiano continuamente. Tuttavia, come abbiamo messo in evidenza sopra, da quando i modelli architettonici furono messi in discussione, essi cambiano attraverso una costante interazione e reazione, una prova e un procedimento di errore attraverso il quale un artista cerca di controllare le circostanze mutevoli al fine di rendere il suo prodotto più utile. In altre parole, essi cambiano non attraverso l'innovazione ma attraverso il miglioramento.

Il modello si evolve soltanto attraverso la modificazione che è un processo empirico, in contrasto con il dominio prepotente di un Genio.

Anche se l'atmosfera intellettuale prevalente oggi premia la scoperta e l'invenzione cosicché *dire o fare qualcosa di nuovo è remunerato molto di più dell'essere giusti"* (Richard Pipes), ci sono aree in cui, come la Chiesa sa molto bene, la sperimentazione non può essere fatta con l'impunità.

Concludiamo queste riflessioni chiedendoci se la forma di un edificio sacro è del tutto irrilevante rispetto al suo contenuto. Difficilmente può essere stato così in passato. Forse che le parole di Mons. Bohun non sono più valide? Se così è, perché e da quando?

exactly how the modernist argument works, this is the essence of modernism!

Traditional architecture, on the other hand, has evolved mainly not through an abstract but by authentic relation to function, developing building types exactly matching different purposes both functionally and simbolically. The church building is a major exponent of a type in Western culture, as abortive attempts at changing it (f. inst. during the Renaissance) amply demonstrate, even if it is not a type which is canonically codified like the Eastern Orthodox. What is more, the type as both Leon Krier and the late Sir Karl Popper insist cannot be invented or planned let alone arbitrarily, but that is precisely what the modernist ideology tries us to believe as happening before our very eyes, thanks to the architects of fame.

Prof. Duncan Stroik from the University of Notre Dame has amply demonstrated the futility of such an endavour by through analysis of Mr. Meier's winning project. Modernism is thus moving in the unreal world of its own fancy to the detriment of our phisical and mental environment. In contrast, traditional building types evolve only gradually as an artist tries to solve his artistic and other problems under the pressure of changing demands.

Popper suggests that what he calls "the World 3" - the world of objective structures which are the products of minds of living creatures; but which, once produced, exist independently of them. The structures become the most centrally important part of creature's environment, towards which much of its most important behaviour is oriented. It goes without saying that art is one of the most important structures which together with- "language, ethics, law, religion, philosophy, the sciences and institutions, aquired a central importance in man's environment to which he had then to adapt himself, and which therefore shaped him".

It must be clear to anyone that the Popperian "World 3", the world of structures vital to human survival and development, cannot be freely and arbitrarily manipulated. But again that is what the modernist postulates. When we say manipulation we do not mean change. Indeed, according to Popper, the structures, though they do not necessarily progress, are not only open to change but they change continously! But as pointed above, when the architectural types were discussed, they changed by constant interaction and feedback, a trial and error process through which an artist tries to control the changing circumstances in order to make his product more useful. In other words they change not by innovation but by improvement.

The type evolves only through modification which is an empirical process, in contrast to the high-handed ruling by a Genius.

Even though the prevailing intellectual atmosphere today puts a premium on discovery and invention so that "saying or doing something new is more richly rewarded than being right" (Richard Pipes), there are areas where, as the Church knows perfectly well, experimentation cannot be made with impunity.

Let's conclude these reflections with asking if the form of a sacred building is totally irrelevant to its content? It could hardly have been thus in the past. Are the words of bishop Bohun no longer valid? If so why and since when?

Camilian Demetrescu:
Il muro di Berlino - *Muro di Caino*, 1987
Berlin Wall - Caino's Wall, *1987*

IL SIMBOLO NELL'ARCHITETTURA E ICONOGRAFIA SACRA
SYMBOLS IN SACRED ARCHITECTURE AND ICONOGRAPHY

Camilian Demetrescu

Camilian Demetrescu:
Stella polare, *asse cosmico del Tempio* - 1981
North star, Cosmic axe of the Temple- 1981

Parlare di architettura sacra oggi, di fronte ad una chiesa schiacciata, umiliata, degradata dall'ignoranza dei simboli, dalla penosa alienazione dei residui iconografici, naufragati negli schemi di un astrattismo disincarnato, è come affondare il coltello in una piaga dolorosa. I tempi sono cambiati, dicono gli "umanisti" del nostro tempo: le vergini stolte delle antiche Psychomachie si sono ribellate al sopruso della "*morale bigotta*", le virtù calpestate dai vizi hanno perso scudo e lancia. Intanto, dicono, l'iconografia moderna non ha più bisogno di simili temi… Cristo si può incarnare in forme geometriche, arbitrarie ed indefinite; bastano le parole del sacerdote per ricordare che Dio si è fatto uomo. Il vuoto di significato sostituisce il mistero, l'estetismo si vuole raffinato, ermetico, disimpegnato, mentre lo spazio ideale di una chiesa moderna dev'essere confortevole come il foyer di un motel a cinque stelle. Non è necessario continuare. Tutti abbiamo dinanzi ai nostri occhi il prototipo del nuovo edificio della parrocchia che Sedlmayr chiama "*garage per le anime*".

Il nostro tema è il recupero dello spazio sacro. Tenteremo di riassumere gli attributi essenziali di un simile spazio, alla luce del simbolismo cristiano, immutabile per definizione. L'architetto che si impegna oggi a progettare e a realizzare un edificio di culto ha il diritto-dovere di appartenere al suo tempo storico, e, contemporaneamente, al tempo perenne della sacralità. La libertà di espressione non è in discussione. La modernità è perfettamente compatibile con i criteri simbolici di un edificio sacro. Nessuno può indicare ad un architetto le leggi costruttive di un simile edificio. La libertà di immaginare forme nuove è illimitata, evidentemente entro i limiti oggettivi di stabilità e funzionalità, e non solo in senso fisico. Nell'architettura sacra, oltre alla stabilità materiale del fabbricato, è determinante il simbolismo della sua funzionalità spirituale. Sta qui il nodo della questione.

La chiesa non è un'opera di ingegneria. È un simbolo. L'edificio di

To speak of sacred architecture today, to a Church which is crushed, humiliated and degraded by the ignorance of its symbols, by the painful alienation of the remaining iconography, drowned in the schemes of a disembodied abstraction, is equivalent to turning the knife in the wound. Times have changed, the "humanists" of our times say; the foolish virgins of the ancient Psyomachie have rebelled against the abuse of the "sanctimonious morality," the virtues trampled by vices have lost their shield and lance. At the same time, they say, modern iconography no longer needs similar themes. Christ can be incarnated in geometric forms, arbitrary and indefinite; the words of the priest are sufficient to remember that God made Himself man.

Lack of significance substitutes for the mystery, aestheticism must be refined, hermit-like, and uncommitted, while the ideal space for a modern church must be comfortable, like the foyer of a five-star hotel. Nothing more need be said. We all have, before our eyes, the prototype of the new parish church which Sedlmayr calls "a garage for souls".

Our subject is that of recuperating sacred space, in the light of Christian symbolism, unchangeable by definition. The architect who today agrees to design and build a house of worship has the right and the duty to belong to his historical era, and, at the same time, to the perpetual era of sacredness. Freedom of expression is not in question. Modernism is perfectly compatible with the symbolic criteria of a sacred edifice. Freedom to create new forms is clearly unlimited within impartial limits of stability and functionality, and not in the physical sense alone. In sacred architecture, in addition to the material stability of the building, the symbolism of its spiritual function is decisive.

The church is not a work of engineering. It is a symbol. The stone building becomes a church only after it has been consecrated, in the same way a child becomes a Christian with baptism. To see the church

pietra diventa chiesa solo dopo la sua consacrazione, così come un bambino diventa cristiano con il battesimo. Considerare la chiesa solo un fabbricato, una struttura materiale, è come sconsacrarla, svuotarla del suo significato fondamentale: il simbolo.

La chiesa è il corpo di Cristo. Come spiegare il corpo di Cristo con l'analisi metrologica e la catalogazione di materiali e dei metodi costruttivi di un fabbricato? La maggior parte degli studi dedicati oggi al tempio cristiano lascia ben poco spazio al simbolo, quando non lo trascura del tutto. Si limita a classificare i dati materiali, estetici e funzionali dell'edificio.

Come definire il tempio cristiano?

La Chiesa è nata con Cristo, le sue porte si sono aperte al mondo duemila anni or sono e rimarranno spalancate fino alla Parusia, fino alla seconda venuta, quando si chiuderanno per sempre, e avrà inizio il Giudizio. Per tutti: per chi sarà dentro e per chi sarà fuori. Dopo il Giudizio, il tempio non avrà più ragione di esistere, come sta scritto nell'Apocalisse di Giovanni di Patmos, perché nella Città sacra, nella Gerusalemme celeste, il Tempio sarà Dio stesso.

ARCA, ETIMASIA, CORPO DI CRISTO.

Tre significati assume la Chiesa terrena nell'arco di tempo che scorre da Betlemme fino alla Parusia: *Arca, Etimasia, Corpo di Cristo.*

La Chiesa è la nuova Arca di salvezza dal diluvio del male insito nella storia stessa. Quando alla fine dei tempi il diluvio della storia si fermerà, dall'Arca approdata sulla montagna sacra scenderanno i vivi, e dalle valli di fango saliranno al Giudizio i morti rimasti fuori dell'Arca.

La Chiesa è allo stesso tempo *Etimasia*, il che in greco significa preparazione (*Etoimasia*), attesa della seconda venuta. Durante tutto il periodo di attesa della Parusia la Chiesa sostituisce la *presenza-assenza* del Cristo, e in questo senso è il *corpo di Cristo.*

Arca, Etimasia, Corpo divino: tutta la simbolica del tempio è incentrata su questa triade. Non si può capire la complessità dei significati che stanno alla base dell'architettura e dell'iconografia cristiana, senza partire da questi tre simboli fondamentali.

Per definizione il tempio è lo specchio in cui si riflette il mondo celeste (*Templum* era lo strumento antico per osservare il firmamento). Tutti i templi della terra rispecchiano la perfezione del creato, ed in essa la perfezione divina. Il tempio cristiano – e sta qui la grande novità – non è più l'immagine riflessa del divino, ma il corpo stesso del Dio incarnato: l'abside è la testa, la navata il corpo, il transetto le braccia aperte, l'altare il cuore di Cristo (Onorio di Autun).

Quando Gesù scacciò i mercanti dal tempio, i Giudei gli chiesero conto: *"«Quale segno ci mostri per fare queste cose?» Rispose loro Gesù: «Distruggete questo tempio e in tre giorni lo farò risorgere». E i Giudei: «Questo tempio è stato costruito in quarantasei anni e tu in tre giorni lo farai risorgere?». Ma Egli parlava del tempio del suo corpo"*, commenta Giovanni (II, 18-21). La Chiesa cristiana è la Chiesa dell'incarnazione. Si può definire quindi come l'incarnazione dell'antico tempio di Gerusalemme nel corpo di Cristo. Con la Sua morte in croce moriva anche l'antico tempio: *"Il grande velo che copriva il Sancta Sanctorum si squarciò in due da cima a fondo"* (Mt XXVII, 51). Il mistero, nascosto agli occhi del popolo nel tempio ebraico, si scoprì agli uomini. Lo spirito si rivelò alla ragione. Al posto del Dio dei gran sacerdoti, del Dio severo e vendicatore della vecchia legge, venne il Dio degli umili, Adonai cristiano, della misericordia e del perdono. E' questa l'essenza del tempio di Cristo. Tutta la sua simbolica riassume i significati dell'incarnazione del Verbo immagine del Dio invisibile.

Come per l'Arca di Noè, per il tabernacolo di Mosè e per il Tempio di Salomone, le proporzioni della Chiesa sono rivelate da Dio stesso. *"Ecco, ti ho fatto il disegno sul palmo della mia mano, le tue mura sono sempre davanti a me"* dice il Signore a Israele

as only a building, a material structure, is like deconsecrating it, emptying it of its fundamental significance as a symbol.

The Church is the body of Christ. How can one explain the body of Christ by measuring it in meters, cataloguing the material and the building techniques used in constructing an edifice? The major part of the studies which today are dedicated to Christian temples treat the symbols quite briefly, if at all. They limit themselves to classifying information concerning materials used, and the beauty and the functionality of the building.

How can one define the Christian temple?

The Church was born with Christ, its doors have been open to the world for about two thousand years and will remain open until the Parousia, the final coming, when they will close forever and the Last Judgment will begin for everyone: for those who will be within and those who will be left outside. After the Last Judgment, there will no longer be any reason for time to exist, as has been written in the Apocalypse of John of Patmos, because in the sacred City, in the Heavenly Jerusalem, Temple will be God Himself.

THE ARK, ETYMASY, THE BODY OF CHRIST

The terrestrial Church takes on three meanings in the time separating Bethlehem from the Parousia: the Ark, Etymasy, the Body of Christ.

The Church is the new Ark of salvation from the deluge of evil rooted in history itself. When at the end of time history ends, the living will descend from the Ark which has settled on the sacred mountain, and the dead who have remained outside the Ark will rise to judgment from the valley of mud.

The church is at the same time Etimasia - *which in Greek means preparation, (Etoimasia), expecting in the Second Coming. During the entire period of waiting for the Parousia, the Church takes the place of the* presence-absence *of Christ, and, in this sense, is the* body of Christ.

Ark, Etimasia, divine Body: the symbol of the temple centers on this trio. It is not possible to understand the complexity of meanings at the base of Christian architecture and Christian iconography without beginning from these three fundamental symbols.

By definition, the church is the mirror that reflects the heavenly world (Templum was an ancient tool for observing the vault of heaven). All earthly temples reflect the perfection of creation, and in its divine perfection the Christian temple - and this is the great novelty - is no longer the reflected image of the divine, but the body itself of God made man: the abside is the head, the nave the body and the transept the open arms, the altar is the heart of Christ. (Onorio di Autun).

When Jesus chased the merchants from the temple, the Jews asked for an explanation: «What sign can you show us for doing this?» Jesus answered and said to them «Destroy this temple and in three days I will raise it up.» The Jews said: «This temple has been under construction for forty-six years, and you will raise it up in three days?» But he was speaking about the temple of his body." *comments Saint John (John II, 18-21). The Christian Church is the Church of the Incarnation. It can, therefore, be defined as the incarnation of the ancient Jewish temple:* "the veil of the sanctuary was torn in two from top to bottom" *(Mt XXVII, 51). The mystery, hidden from the eyes of the people in the Hebrew temple, revealed itself to mankind. The spirit showed itself to reason. In the place of the God of the great priests, of the severe and vindictive God of the Old Law, there came the God of the humble, the Christian Adonai of mercy and forgiveness. This is the essence of the temple of Christ. All of its symbologia is summed up in the meaning of the Incarnation of the Word, the image of the invisible God.*

As for Noah's Ark, the tabernacle of Moses, and the temple of Solomon, the proportions of the church are revealed by God Himself. "Behold, I have made the design for you on the palm of my hand, your walls are always before me," says the Lord to Israel (Isaiah

(Isaia, 49, 16). Ezechiele riceve nel sogno le misure del nuovo tempio di Gerusalemme, la cui struttura ha una sorprendente analogia con la chiesa romanica. Le regole costruttive vengono da Dio che ne è il vero architetto. I costruttori imitano Dio, eseguono il Suo progetto. Per questo la chiesa romanica non è firmata. L'anonimo medievale rende omaggio al Grande Costruttore del tempio, edificato con le pietre viventi degli uomini; una chiesa fatta di anime, non di pietre.

ORIENTATIO

Simbolo del Centro, la chiesa sorge in uno spazio sacro, consacrato in tempi immemorabili, dedicato da sempre ad altari e templi. La consacrazione del luogo sacro inizia con *la separazione dallo spazio profano* con un recinto, e l'*orientatio* cosmica. La costruzione di ogni nuovo altare riprende il mito cosmogonico della creazione.

L'analogia *uomo-chiesa-cosmo* ci aiuta a comprendere il significato di quello che si chiama *orientatio*. L'antropologia moderna definisce l'uomo *un animale spirituale orientato*. Il suo orientamento agisce in due direzioni: verso la luce (eliotropismo) e verso l'alto (teotropismo). Da sempre l'uomo è stato attratto dalla luce del Sole e dal mistero della volta celeste. Il suo duplice orientamento, orizzontale e verticale, verso il sorgere del Sole che dà la vita e verso la Stella Polare, centro del cosmo, indica le due coordinate del suo essere nel mondo: vitale e spirituale.

Allo stesso modo è orientato il tempio cristiano: l'asse longitudinale, chiamato l'*asse solare*, è orientato verso il sol levante, verso Oriente (lo dice la parola stessa), mentre l'asse verticale, *axis mundi*, collega il tempio alla Stella Polare. L'asse solare si svolge tra la luce e l'oscurità: in tutte le mitologie il Paradiso si trova a Oriente, culla del Sole, mentre Ade sta in Occidente, nella caverna cosmica delle tenebre. Adamo è stato cacciato dal Paradiso per la porta di ponente, verso un mondo senza luce. L'ascensione del Cristo ai Cieli accadde sopra il sol levante. La grande battaglia primordiale tra l'Arcangelo Michele e Lucifero, per il dominio del creato, fu data sulla soglia tra il regno del Sole e l'abisso delle tenebre, nel profondo Ovest. Fino al V secolo i cristiani pregavano dinanzi al Sol Levante, mentre gli ebrei guardavano nella direzione del tempio. Le tombe dei primi cimiteri cristiani erano *orientate*, il defunto guardava verso il Sole che vince le tenebre.

L'asse verticale, *axis mundi*, orienta la chiesa verso l'alto, congiungendo il Cielo, la terra e l'inferno – il divino e il demoniaco. Anticamente, nel centro del gradino che separa la navata dal Sancta Sanctorum, era incastrata una pietra che segnava il *centro cosmico* della Chiesa. La Stella Polare, astro fisso dell'emisfero boreale attorno a cui ruota la costellazione dell'Orsa maggiore, è il punto sacro della mitologia stellare: trono di Dio, astro che non tramonta mai, perno dell'universo. Per Gregorio Magno *"l'Orsa maggiore è la Chiesa che ruota attorno alla Verità"*, mentre per Marie Madeleine Davy La Stella Polare è *"la chiave degli antichi segreti perduti dall'uomo moderno tagliato fuori dal cosmo"* (Initiation à la symbolique romaine).

Orientata in alto verso *il trono di Dio*, la chiesa può essere orientata anche orizzontalmente verso il Nord, indicato dalla Stella Polare. Il costruttore di chiese romaniche orientava di regola l'altare verso l'Est, ma in alcuni templi, come per esempio a Santa Maria di Bominaco, presso l'Aquila, l'altare guarda a Nord. Questo "orientamento" in funzione della Stella Polare si può incontrare anche in luoghi dove sorgevano anticamente templi pagani o celtici. Se la chiesa è il centro dell'universo, l'altare è il centro della chiesa stessa. La parola altare viene dal latino *altus*, che significa *luogo alto*. I gradini che solitamente conducono all'altare ricordano la salita del tempio di Gerusalemme, la montagna sacra sulla quale fu

49,16). Ezechiel received in a dream the measurements of the new temple of Jerusalem, the structure of which shows a surprising analogy to the Romanesque church. The rules of construction come from God who is the real architect. The builders imitate God, carrying out His plan. For this reason the Romanesque church is not signed. The medieval anonymity renders homage to the Grand Builder of the temple, built with the living stones of mankind, a Church made of souls, not of stone.

ORIENTATIO

Symbol of the Center, the church rises in a sacred space, consecrated in times long gone by, always dedicated to altars and temples. The consecration of the sacred place begins with its separation from profane spaces by means of a fence and its cosmic orientatio. The building of every new altar reflects the cosmogony of creation.

The analogy man-church-cosmos helps us to understand the meaning of what is called "orientatio". Modern anthropology defines man as a spiritually oriented animal; his orientation acts in two directions: toward the light (eliotropism), and toward that which is higher (teotropism). Man has always been attracted by the light of the sun and by the mystery of the blue skies. His double orientation, horizontal and vertical, toward the Sunrise which gives life and towards the North Star, the center of the cosmos, indicates the two coordinates of his being in the world: survival and spirituality.

The Christian church is oriented in the same way: the longitudinal axis, called the solar axis, is oriented toward the rising sun, toward the East (as the word itself indicates), while the vertical axis, the axis mundi, connects the temple to the North Star. The solar axis unrolls itself between light and darkness: in all mythology Paradise is in the East, the cradle of the Sun, while Hades is in the West, in the cosmic cavern of darkness. Adam was cast out of Paradise by the western door into a world without light. The Ascension of Christ into Heaven took place above the rising sun. The great primeval battle between the Archangel Michael and Lucifer, for the domination of creation, took place on the threshold of the kingdom of the Sun and the abyss of darkness, in the deep West. Up until the fifth century Christians prayed before the Rising Sun, while the Hebrews looked toward the temple. The tombs in the first Christian cemeteries were oriented, that is, the defunct looked toward the Sun which overcomes the darkness.

The axis mundi, the world axis, oriented the church upward, bringing together Heavens, earth and hell - the divine and the diabolic. In ancient times, in the center of the step which separates the nave from the Sancta Sanctorum, there was embedded a stone which marked the "cosmic center" of the church. The North Star, a fixed star in the northern hemisphere around which the constellation of Ursa Major rotates, is the sacred point of stellar cosmology; the throne of God, a star which never sets, the pivot of the universe. For Saint Gregory the Great, "the Orsa Maggiore is the Church which rotates around the Truth," while for Madeleine Davy the North Star is "the key to ancient secrets lost by modern man who is cut off from the cosmos" (Initiation à la symbolique romaine).

Oriented upwards, toward the throne of God, the church can be oriented horizontally as well towards the North, indicated by the North Star. The builder of Romanesque churches usually oriented the altar towards the East, but in some temples, as for example, Santa Maria di Bominaco near Aquila, the altar faces north. This "orientation" in function of the North Star can be found as well in places where, in ancient times, there had been pagan or Celtic temples. If the church is the center of the universe, the altar is the center of the church itself. The word altar comes from the Latin altus, which means a high place. The steps which normally lead to the altar bring to mind the climb to the Temple of Jerusalem, the sacred mountain on which it

edificato. Cuore della chiesa che sta nel cuore della montagna sacra, l'altare è il microcosmo in cui si concentra il *mundus*, l'intero creato. La liturgia che si svolge sull'altare sotto il Cristo pantocrator, creatore dell'universo, rispecchia la liturgia celeste della Genesi.

LA GEOMETRIA SACRA

La geometria dell'architettura sacra è rigorosamente simbolica. La pianta dell'edificio, fondata sul dialogo tra cerchio e quadrato, riassume il simbolo fondamentale del rapporto uomo-Dio. Il cerchio significa il Cielo, il sacro, il mondo spirituale. Il quadrato invece rappresenta il cosmo, la materia, la condizione terrena. Il concetto di incarnazione del Verbo, su cui poggia tutta la simbolica del tempio cristiano, è illustrato con eloquenza in certe immagini medievali. Nell'evangeliario di Sant'Omero, sotto il piede del Cristo in trono si vede un quadrato iscritto in un cerchio: simbolo divino, il cerchio si fa quadrato, lo spirito si fa materia, Dio scende nella carne.

Per secoli la chiesa bizantina era costituita da un cubo sormontato da una cupola. La Santa Sofia di Costantinopoli ne è il prototipo. Nel romanico l'abside e la cupola sono circolari, dedicate a Dio, mentre la navata, destinata al suo popolo, è rettangolare. Dio e uomo, spirito e materia si incontrano nel tempo sacro, e nello spazio terreno del tempio e della liturgia. L'abside cistercense del XII secolo è ancora quadrata, poi diventa poligonale, mentre nel romanico e nelle chiese dei Templari è sempre circolare. La cupola, come a San Sepolcro di Gerusalemme, rispecchia la volta dell'universo.

Quello che distingue il romanico dall'architettura gotica o rinascimentale è la frequente irregolarità della pianta dell'edificio. Per analogia con il corpo umano, la chiesa romanica sfugge al rigore della simmetria: la vita non è geometrica. I capitelli romanici non sono mai uguali, non si ripete mai lo stesso motivo ornamentale, come nei templi neoclassici .dove regna la ripetizione modulare. Talvolta l'abside romanica è deviata rispetto all'asse longitudinale della chiesa, per ricordare la testa piegata del Cristo sulla croce. Questa prevalenza dell'umano sul rigore geometrico sarà eliminata dal razionalismo della nuova architettura del quattro e del cinquecento, quando il tempio diventerà palazzo e il simbolo si spegnerà nel puro pretesto decorativo. Il calore del Dio-uomo che respira assieme ai fedeli nello spazio romanico, vivo e imperfetto come la vita stessa, scomparirà gradualmente dalle gelide macchine architettoniche rinascimentali e neoclassiche, per disertare del tutto dagli squallidi "parcheggi per le anime" del nostro tempo.

Alla voluta imperfezione geometrica del romanico si contrappone il rigore simbolico dei numeri. Pari all'Arca e al Tempio di Salomone il rapporto ideale tra altezza e lunghezza dell'edificio deve essere di uno a dieci, e di uno a sei tra larghezza e lunghezza (non possiamo insistere qui sul simbolismo dei numeri, essenziale nell'architettura sacra).

IL PORTALE E LA VIA SALUTIS

Se l'Axis Mundi è la via cosmica per la quale il mistero celeste scende nel tempio, il mondo terreno vi può accedere attraverso il portale. *"Io sono la Porta* – dice Cristo (Gv X, 9) – *se uno entra attraverso di me, sarà salvato"*. Il portale è prima di tutto *"un arco di trionfo e un trono di gloria"* (Burckhardt). Ma un arco trionfale che non si apre nello spazio, bensì nel tempo: chi vi entra non passa *da un luogo ad un altro luogo*, ma *da un tempo ad un altro tempo*; dal tempo della vecchia a quello della nuova legge. Il portale è la soglia che divide la storia dall'eternità. Entrando nel tempio si entra nel mistero della creazione e della salvezza.

Il portale riassume la pianta dell'edificio: il rettangolo dei battenti

was built. The heart of the church is in the heart of the sacred mountain, the altar is the microcosm in which the mundus *is concentrated, all of creation. The liturgy which takes place on the altar, below Christ the Almighty, creator of the universe, reflects the heavenly liturgy of Genesis.*

SACRED GEOMETRY

The geometry of sacred architecture is rigorously symbolic. The plan of the building, based on a dialogue between circles and squares, summarizes the fundamental relationship between man and God. The circle stands for Heaven, the sacred, the spiritual world. The square, on the other hand, represents the cosmos, material things, the terrestrial condition. The concept of the Incarnation of the Word, on which all of the symbology of the Christian temple rests, is illustrated by certain Medieval images. In the evangelario of Saint Omero, under the foot of Christ in a throne there can be seen a square drawn in a circle: a divine symbol, the circle becomes a square, spirit becomes material, God descends in flesh.

For centuries the Byzantine church was built on a cube topped by a dome. Santa Sophia in Constantinople is the prototype. In Romanesque architecture, the abside and the cupola are circular, dedicated to God, while the nave, destined for the people, is rectangular. God and man, spirit and material, meet in the sacred temple and in the earthly space of the temple and the liturgy. The Cistercian abside of the twelfth century is still square, then it becomes polygonal, while in Romanesque churches and the churches of the Templars it remains circular. The cupola, such as that of San Sepulcro in Jerusalem, reflects the vault of the world.

What distinguishes the Romanesque architecture from the Gothic or Renaissance is the frequent irregularity of the plan of the building. As an analogy with the human body, the Romanesque churches flee from the rigor of symmetry: life is not geometric. The Romanesque capitelli are never the same, the same ornamental motif is never repeated, as it is in the Neoclassical temples where modular repetition is the rule. Sometimes the Romanesque abside is deviated with respect to the longitudinal axis of the church, in memory of the bent head of Christ on the cross. This supremacy of the human aspect over geometric rigor will be eliminated by the rationalism of the architecture of the fourteenth and fifteenth centuries, when the temple becomes a palace and the symbol dies in sheer decorative pretext. The warmth of the God-man who breathes with the faithful in the Romanesque space, alive and imperfect like life itself, will disappear gradually in the cold architectonic machines of the Renaissance and Neoclassical movements, to be abandoned forever in the squalid "parking lots for souls" of our time.

The deliberate geometric imperfection of the Romanesque architecture is contrasted with the symbolic rigor of numbers. The ideal relationship between the height and the length of the building must be one to ten, and one to six between width and length (we cannot insist here on the symbolism of numbers, essential in sacred architecture).

THE PORTAL AND THE VIA SALUTIS

If the Axis Mundi is the cosmic road by which the heavenly miracle descends on the temple, the earthly world can enter through the portal. "I am the Gate. - says Christ, (John X,9) - Whoever enters through me will be saved." The portal is, first of all, "an arch of triumph and a throne of glory." (Burckhardt). But it is a triumphal arch which opens not in space, but in time: he who enters it does not pass from one place to another place, but from one time to another time; from the time of the Old to that of the New Law. The portal is the threshold which divides history from eternity. Entering into the temple one enters into the mystery of creation and salvation.

The portal reassumes the plan of the building; the rectangle of the

riproduce la navata, mentre la lunetta sovrastante riprende la forma circolare dell'abside. Il popolo passa attraverso il quadrato dei battenti, mentre il timpano semicircolare, come l'abside e la cupola, ospita il Cristo in gloria, benedicente.

Se la forma del portale richiama la pianta del tempio, in senso iconografico preannuncia i temi dell'abside: Cristo in gloria e la Vergine – simbolo della Chiesa militante. Il portale dell'abside sono i due poli – cosmico e mistico – entro i quali si svolge la *Via Salutis*, il percorso iniziatico che conduce dalla soglia del tempio fino all'altare. Il cristiano entra nel tempio per il portale ovest. Dalle tenebre del ponente si avvicina gradualmente alla luce del Sole che splende nell'altare. La porta ovest era destinata al popolo mentre il portale sud, bagnato dalla luce di mezzogiorno era riservato agli iniziati (sacerdoti, teologi, saggi) già illuminati dalla conoscenza.

L'importanza della soglia, come dell'intero portale è immensa. L'ingresso delle chiese dei Carolingi era custodito da arcangeli; potenti leoni difendevano i portali romanici dagli "spiriti del deserto" e dalle eresie. L'interdizione di entrare riguarda i nemici, i distruttori di fede, i falsi profeti, i falsi messia.

Varcata la soglia si entra nel mistero del tempio. Appena entrato, il pellegrino si sente dentro il ventre di un'Arca che naviga sulle acque di *questo* mondo, ma in un *altro* tempo. Dal portale inizia il percorso della "Via Salutis", che conduce verso l'altare, guidato dalle pietre miliari dei simboli, raffigurati su capitelli, affreschi, vetrate, mosaici, etc. Tutta la storia biblica del mondo e della vita di Cristo sfila davanti agli occhi del pellegrino, ricordando l'epopea del destino umano.

La prima prova iniziatica che doveva affrontare il cristiano appena varcata la soglia era la *prova del Labirinto*. Contrariamente al mitico labirinto di Dedalo, il labirinto cristiano non ha vicoli ciechi, bivi ingannevoli, trappole mortali. Costruito nel pavimento con tessere di pietra a colori contrastanti, il labirinto significava il difficile cammino dell'uomo verso la verità. Simbolicamente l'uomo entra nel labirinto con la nascita e durante il lungo e tortuoso percorso della sua vita si avvicina alla Gerusalemme celeste. La fede è il filo di Arianna che lo conduce alla salvezza.

Non possiamo approfondire il vasto registro di temi che accompagna questo percorso salvifico. Lo spazio non lo permette. Ci chiediamo: si può ancora parlare di simbolo nell'architettura e nell'iconografia moderna? Cosa dire delle cosiddette vetrate astratte o informali imposte dai vari committenti, col permesso delle soprintendenze ai beni culturali, in certi monumenti romanici della Francia, per esempio? Per rincuorarci pensiamo alle vetrate della cattedrale di Chartres. Nel XII secolo 45 confraternite di artigiani avevano sponsorizzato la realizzazione di una delle più mirabili opere di vetrate mai viste fino ad oggi. La straordinaria storia di Carlo Magno raccontata col fuoco dei colori era stata donata dalla corporazione dei drappieri. Come non sorridere amaramente pensando all'uso che si fa dei fondi pubblici e privati destinati alla cultura "sacra" moderna? La crisi è davvero irreversibile? La storia ci insegna che nulla è definitivo, nel bene e nel male. Altrimenti perché ci saremmo dati appuntamento qui, se non nella speranza che una inversione di questa crisi sia ancora possibile?

Riassumiamo i dati essenziali che definiscono lo spazio sacro di una chiesa.

L'*orientatio* (in un'architettura moderna disorientata). La dialettica tra cerchio e quadrato nella struttura geometrica e simbolica dell'edificio (e non l'uso arbitrario della geometria secondo criteri soltanto estetici e utilitari), quindi necessità della forma circolare nell'abside e rettangolare nella navata. L'integrazione del simbolismo dei numeri nelle proporzioni e nei ritmi dello sviluppo architettonico. Il significato del portale (che non può essere l'ingresso di un qualsiasi edificio pubblico, come spesso vediamo). La programmazione del

double door leaves reproduces the nave, while the lunetta above takes on the circular form of the abside. The people pass through the square of the doors, while the semicircular tympanum, like the apse and the cupola, hosts Christ in glory, blessing the faithful.

If the form of the portal recalls the plan of the temple, in an iconographic sense it pre-announces the themes of the apse: Christ in glory and His Blessed Mother - symbols of the militant Church. The portal of the apse forms two poles - cosmic and mystical - within which is the Via Salutis, the initiatory steps which lead from the threshold of the temple to the altar. The Christian enters the church by the western portal. From the darkness of the West he gradually draws near to the light of the Sun which shines on the altar. The western door was destined for the people, while the southern door, bathed in the light of midday, was reserved for the initiated (priests, theologians, wise men) already illuminated by knowledge.

The importance of the threshold, like that of the entire portal is immense. The entry to the Church of the Carolingi was guarded by archangels; strong lions defended the Romanesque portals from the "spirit of the desert" and from heresy. Enemies, destroyers of the faith, false prophets and false messiahs were forbidden entry.

Once over the threshold one enters into the mystery of the temple. Just inside, the pilgrim already feels himself in the bowels of an Ark which is navigating the waters of this world, but in another age. The "Via Salutis" begins at the portal and leads toward the altar, guided by milestones of symbols portrayed on the capitelli, frescos, windows, mosaics, etc. The entire biblical story of the world and of the life of Christ passes before the eyes of the pilgrim, reminding him of the epic of human destiny.

The first initiatory test the Christian must face when he has just stepped over the threshold is the test of the Maze. *Contrary to the mythical labyrinth of Dedalus, the Christian labyrinth does not have dead ends, misleading crossroads, deadly traps. Built into the pavement with blocks of contrasting colors, the labyrinth signified the difficult journey of man toward the truth. Symbolically, man enters into the labyrinth at birth and during the long and tortuous course of his life advances toward the Heavenly Jerusalem. The faith is the thread of Arianna which will lead him to salvation.*

We cannot go into detail about the vast range of subjects that accompany this redeeming journey; there is not enough space to do so. We ask ourselves: can we still speak of symbols in modern architecture and iconography? What is there to say about the so-called abstract or informal windows insisted upon by different clients, with the permission of the agency for the conservation of cultural treasures, in certain Romanesque monuments in France, for example? To encourage ourselves we turn our thoughts to the windows of the Cathedral of Chartres. In the twelfth century, forty-five brotherhoods of artisans sponsored the creation of one of the most marvelous works of stained glass ever seen up to the present time. The extraordinary history of Charlemagne, told in flaming colors, was donated by the society of drapers. How can we manage not to smile bitterly when we think of the use made of both public and private funds destined for "sacred" modern culture? Is the crisis really irreversible? History teaches us that nothing is final, neither the good nor the bad. Otherwise, why would we be meeting here, if not in the hope that a reversal of this crisis is still possible?

Let us summarize the essential characteristics that define the sacred space of a church.

The orientatio *(in modern architecture, dis-orientation). The dialogue between the circle and the square in the geometric and symbolic structure of the building (and not the arbitrary use of geometry according to criteria which are only aesthetic or utilitarian), then the requirement that the abside be circular and the nave rectangular. The integration of the symbolism of numbers in the proportions and rhythms of the architectonic development. The significance of the portal (which cannot be the entry to just any sort of public building, like some we often*

discorso iconografico insito nella progettazione stessa dell'edificio (spesso considerato secondario e ridotto al minimo). Tutto nella consapevolezza che il tempio cristiano incarna il corpo di Cristo, il simbolo dei simboli.

Non è compito mio parlare delle cause che hanno portato al degrado dello spazio sacro. Posso dire soltanto che nell'insegnamento dell'architettura manca lo studio dei simboli, così come nei seminari teologici non è previsto un corso specifico sul simbolismo iconografico. E' facile immaginare le conseguenze di questa doppia ignoranza nella costruzione di una chiesa oggi. Assistiamo ad un'epidemia dell'ibrido nell'architettura e nell'iconografia (quella poca rimasta), dovuta in primo luogo alla mancanza di cultura del simbolo, sostituita dal buono o dal cattivo gusto del committente e del costruttore.

Per convincere Talleyrand ad introdurre nelle scuole l'insegnamento del colore, pari alla musica, Delacroix diceva che le leggi del colore si possono imparare in un quarto d'ora, e che questo quarto d'ora manca alla maggior parte dei pittori che contano. E' vero che la conoscenza dei simboli non si può acquisire in soli quindici minuti, ma se i preti e gli architetti si mettessero d'accordo a seguire insieme un simile corso, prima o poi i *"garages per le anime"* potrebbero diventare quello che comunemente si chiama una chiesa.

see). The planning of the iconographic message which is inherent to the very design of the building (often considered of secondary importance and reduced to the minimum). All within the knowledge that the Christian temple incarnates the body of Christ, the Symbol of symbols.

It is not my task to speak about the causes which have led to the degradation of sacred space. I can only say that the study of symbols is lacking in the teaching of architecture, in the same way that theological seminaries do not offer a specific course on iconographic symbolism. It is easy to imagine the consequences of this double ignorance for the construction of churches today. We are witnessing an epidemic of the hybrid in architecture and iconography (that little which remains), due in the first place to the lack of a culture of symbols, substituted for by the good or bad taste of the client and the builder.

To convince Talleyrand to introduce the teaching of color, equal to that of music, into the schools, Delacroix said that the laws of color can be learned in a quarter of an hour, and that this quarter of an hour is what is lacking in many of the famous painters. It is true that the knowledge of symbols can not be learned in only fifteen minutes, but if priests and architects agreed to follow together a similar course, sooner or later the "garages for souls" could become that which is commonly called a church.

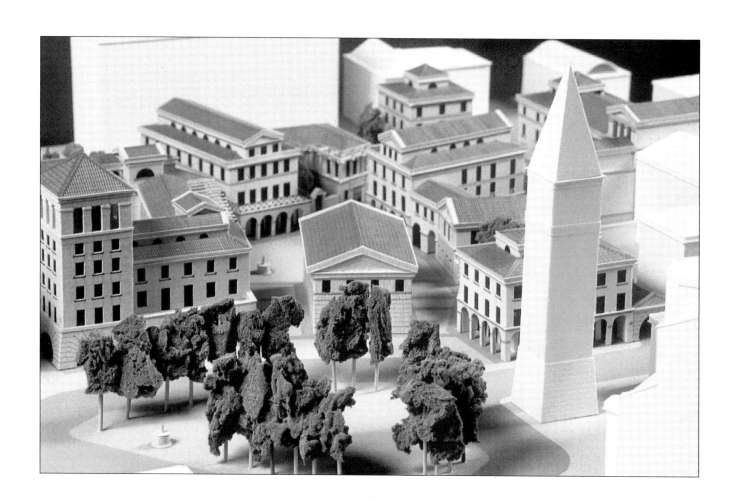

Gabriele Tagliventi & Leon Krier:
Nuovo isolato residenziale in Alessandria, 1998
New residential block in Alessandria, 1998

LA CHIESA NELLA COSTRUZIONE DELLA CITTÀ OCCIDENTALE
THE CHURCH IN BUILDING WESTERN CITIES

Gabriele Tagliaventi

Gabriele Tagliaventi & Leon Krier:
Nuovo isolato in Alessandria, dettaglio - 1998
New residential block in Alessandria, detail - 1998

Il viaggiatore che, attraversando oggi in autostrada l'Europa sull'antica via del sale, arrivi nelle vicinanze della città di Metz, rimane colpito dall'inconfondibile paesaggio in cui la cattedrale gotica svetta sul profilo della città. Si tratta, forse, non della più perfetta fabbrica costruita in stile gotico - Reims, Parigi e Chartres la superano in adesione ai canoni architettonici - tuttavia la sagoma della cattedrale di St. Etienne a Metz rimane impressa come un'esperienza memorabile. I suoi 42 metri di altezza, accentuati dalla felice posizione sopraelevata in cima a una sommità isolata nella pianura francese ne fanno un esempio unico. La posizione della città, tradizionale piazzaforte all'incrocio delle principali direttrici europee: nord-sud, da Milano a Bruxelles, ed est-ovest, da Praga a Parigi, contribuisce a rendere il complesso architettonico della grande chiesa al centro della città, circondata dalla campagna, un archetipo felice del genio europeo del costruire.

La cattedrale di Metz vale senz'altro la visita. Vale senz'altro la visita per il suo inconfondibile profilo urbano, ma soprattutto, per l'unicità della sua relazione con la città fatta di un sistema di piazze straordinariamente equilibrate che costituiscono una perfetta mediazione tra lo spazio sacro e quello profano, rendendo la chiesa parte integrante della città.

Infatti, dopo aver attraversato la Mosella e lasciato alle spalle la Place de l'Intendance, si giunge in una prima piazza allungata, la Place de Chambre, in cui le case costruite sui lotti gotici della città medievale fanno da contrappunto alla massa della cattedrale che si comincia a scorgere in alto sulla collina circondata da semplici ed eleganti edifici neo-classici costruiti con la stessa calda pietra gialla di St. Etienne. Poi si comincia a salire e, percorrendo una scalinata monumentale, si arriva al Plateau, la terrazza panoramica aperta sul fianco nord-ovest della cattedrale. Da qui si domina la città bassa, la sottostante Place de Chambre e, più in là, oltre i tetti

The traveler, who, crossing Europe on highways that follow the old salt trail, on arriving in the city of Metz, is struck by the unmistakable view in which the Gothic Cathedral stands out against the outline of the city. This is perhaps not the most perfect Gothic building - Reims, Paris and Chartres are architecturally more perfect -nonetheless the outline of the Cathedral of San Etienne in Metz leaves an unforgettable impression. Its height of 42 meters, accented by its fortunate position on the top of an isolated peak in the French plain, makes it unique. The position of the city, a traditional stronghold at the intersection of the main north-south European roads from Milan to Brussels, and east-west from Prague to Paris, contributes to making the architectural complex, formed by the normous church at the center of the city surrounded by the countryside, a particularly pleasant example of the genius of European construction.

The Cathedral of Metz is, without doubt, worth visiting for the view of its unmistakable urban outline, but above all, for the uniqueness of its connection with the city, made up of a series of extraordinarily balanced squares which constitute a perfect link between its sacred and profane areas, thus making the church an integral part of the city, In fact, after having crossed the Moselle and having left behind the Place de l'Intendanc, one arrives in a first longated piazza, the Place de Chambre, where houses built on Gothic lots of the Medieval city counterbalance the mass of the Cathedral which begins to be visible high above on the hill, surrounded by simple and elegant Neo-classical buildings, constructed of the same warm yellow stone used for St. Etienne. Then one begins to climb, following a monumental staircase, to reach Plateau, the panoramic open terrace on the northwest side of the Cathedral. This point dominates the lower city, the Place de Chambre below, and, further away, over the roofs of the Gothic areas, the neighborhoods on the

dei lotti gotici, i quartieri al di là della Mosella. Lo spettacolo è notevole, ma siamo solo agli inizi. Svoltiamo l'angolo, lasciamo il Plateau e, continuando ad arrampicarci sulla collina giungiamo al sagrato della cattedrale, una piazza di dimensioni ridotte, 40x60 metri, che, di fronte alla facciata di St. Etienne, introduce alla visita della vecchia città romana e medievale e alla piazza del mercato, mentre lascia aperto uno stretto passaggio che immette a una nuova piazza: la Place d'Armes. Qui si trova la sede della Prefettura in un edificio su tre piani con arcate e due timpani simmetrici che richiamano, nella loro forma allungata, la presenza del fianco sud-est della cattedrale. Dovunque ci si volti, la grande chiesa appare da un'angolatura differente, sempre sorprendente. Le piazze sembrano costruite come parte di una riuscita scenografia teatrale. E' un risultato di raro equilibrio estetico dove la permanenza dell'uso del medesimo materiale, la pietra calcarea della cattedrale, uniforma un ambiente urbano altamente complesso nella sua articolazione su più livelli altimetrici. Un risultato in cui forma e funzione si integrano mirabilmente. Tutte le principali funzioni urbane sono raccolte attorno alla cattedrale: il municipio, la prefettura, il mercato, lasciando all'edificio religioso il compito di simboleggiare l'unità spirituale della comunità.

Per raffronto con quanto accade nelle tristi periferie contemporanee sembra un miracolo. Eppure si tratta dell'opera dell'uomo, certamente ispirato, ma pienamente inserito in una tradizione architettonica e culturale che concepisce la presenza della chiesa intimamente collegata allo sviluppo urbano. A Metz siamo di fronte non all'accumulo stratigrafico di costruzioni sovrapposte, ma all'opera di un architetto, François Blondel, consapevole del risultato che si prefigge di raggiungere con la sua composizione architettonica. Tutte le piazze che concepisce nel suo piano del 1764 attorno alla cattedrale sono parte di un disegno inteso a rafforzare il ruolo fondamentale della chiesa nella costruzione di una comunità civile. Il suo piano non è altro che la sublime razionalizzazione di una lunga tradizione architettonica che affonda le sue radici nelle origini della Chiesa.

Fin dalla fondazione di San Pietro, infatti, la basilica si presenta all'interno della città romana come uno spazio destinato alla funzione religiosa in cui viene privilegiato il rapporto con la città. Abbiamo sempre uno spazio interno destinato al culto e alla meditazione e uno spazio esterno destinato alla transizione tra il sacro e il profano. La basilica di San Pietro a Roma era preceduta da una piazza porticata archetipo della grande piazza, questa volta composta da un rettangolo e da due esedre contrapposte, concepita da Bernini di fronte alla chiesa riedificata da Michelangelo e Maderno. La piazza porticata svolge la funzione di raccolta della comunità dei fedeli prima dell'ingresso all'interno della chiesa oltre a permettere un dialogo sereno tra l'edificio religioso e i quartieri limitrofi.

D'altra parte, la continuità di questa grande tradizione urbanistica è testimoniata dalla costruzione della prima grande città fondata da un imperatore cristiano: Costantinopoli. Anche la grande chiesa della Divina Sapienza, con la sua cupola innalzata a simulacro della volta celeste a ben 42 metri di altezza, mille anni prima dell'erezione delle volte di Brunelleschi a Firenze in Santa Maria del Fiore e di Michelangelo in San Pietro, era preceduta da una piazza porticata.

Si può quindi dire che è impossibile parlare di storia della città occidentale senza considerare il ruolo attivo svolto dalla costruzione della chiesa nella strutturazione dello spazio urbano. Quando osserviamo ammirati il profilo di una città europea con le sagome delle sue chiese che svettano al di sopra della massa dei tetti, non dobbiamo dimenticare che tali chiese sono sempre intimamente collegate alla trama urbana attraverso un sistema di piazze. Questo capita nella meridionale Lecce in Italia come nella

other side of the Moselle. The view is spectacular, but we have just begun. Let us turn the corner, leave the Plateau, and continue to climb the hill to arrive at the courtyard of the church, a small area, 40x60 meters, which, in front of St. Etienne, leads to a view of the old Medieval Roman city and to the marketplace, while opening a narrow passage leading to a new square: la Place d'Armes. Here, the City Hall is located in a three story building with arches and two symmetric gables which, by their elongated form, resemble the south west side of the Cathedral. Wherever one turns, the big church appears at an angle that is different, but always surprising. The squares seem to be constructed as part of a successful theatrical scene as the result of the rare aesthetic equilibrium provided by the constant use of the same material, the limestone of the Cathedral, to give unity to a highly complex urban environment developed over several heights. The result integrates form and function admirably. All of the main urban activities are gathered around the Cathedral: City Hall, the marketplace, leaving to the religious building the task of symbolizing the spiritual unity of the community.

In comparison to what happens in bleak present-day peripheral areas this seems miraculous. And yet, it is the work of man, inspired certainly, but fully integrated into an architectonic and cultural tradition which conceives of the presence of the church as closely connected with urban development. In Metz we find, not the stratified results of superimposed constructions, but, instead, the work of an architect, Francois Blondel, who knew exactly what he wanted to achieve with his architectural composition. All of the piazzas around the Cathedral, which he conceived of as part of his plan in 1764, are integral parts of a design aimed at reinforcing the fundamental role of the church in construction within a civil community. His plan is nothing less than the lofty rationalization of a long architectonic tradition that had its roots in the beginnings of the Church.

Since the foundation of Saint Peter's, in fact, the basilica can be found within Roman cities, in which it enjoyed a privileged status, as a space used for religious functions. We always find an internal area dedicated to religious rites and meditation, and an external one to permit the transition between sacred and profane. In front of the Basilica of Saint Peter in Rome there is an arcaded piazza, prototype of the large piazza, made up of a rectangle and two facing esedre, designed by Bernini in front of the church rebuilt by Michelangelo and Maderno. The arcaded piazza fulfills the functions of gathering together the community of the faithful before they enter the church and that of creating a peaceful link between the religious building and the surrounding areas.

On the other hand, the continuity of the great urbanistic tradition is to be found in the construction of Constantinople, the first large city founded by a Christian emperor. The large church of the Divine Wisdom, with its enormous cupola, forty-two meters above the ground, built to resemble the heavens, constructed one thousand years before Brunelleschi built his arches in the church of Santa Maria del Fiore in Florence and Michelangelo his in San Pietro, was preceded by a piazza with a portico.

It can be said, therefore, that it is impossible to discuss the history of Eastern cities without taking into consideration the active role played by church construction in giving form to urban areas. When we admire the outlines of a European city with its church buildings which rise above the rooftops, we must not forget that these churches are directly connected with urban activities by means of a system of piazzas. This is as true in the south in Lecce in Italy as it is in north Stresland in Germany, in Poland and in Portugal. Styles change, the material used changes, often based on the availability in the region of a given type of stone, but the spirit which guides the construction of that which is called, and not simply by chance, the

settentrionale Stralsund in Germania, capita in Polonia come in Portogallo. Muta lo stile, mutano i materiali, che spesso si adeguano alla reperibilità in sito di determinate pietre, ma intatto rimane lo spirito che guida la costruzione di quella che, non a caso, è stata definita la più grande opera d'arte dell'umanità: la costruzione della città.

La chiesa ha in questo processo un ruolo fondamentale.

Il primo esempio di "città ideale" pensata e realizzata nel Rinascimento vede esplicitarsi in maniera razionale tutti i concetti che si possono trovare ugualmente applicati in mille altre città, apparentemente meno pianificate. A Corsignano, nella campagna toscana, Papa Pio II decide di dare forma alla concezione di una città esemplare dove siano materializzati i concetti dell'Umanesimo. Ideata in un periodo di tragici avvenimenti per la cristianità, la città vuole testimoniare la perennità dei principi spirituali della civiltà cristiana, la permanenza dei valori di fronte al mutare delle fortune umane e delle umane potenze. Essa è focalizzata sul suo centro e il centro vede costruito il prototipo della piazza rinascimentale italiana. Erede della tradizione romana, la piazza che Bernardo Rossellino progetta tra il 1459 e il 1462 a Pienza si sviluppa su una pianta trapezoidale in cui la cattedrale viene incorniciata da due palazzi simmetrici: il Palazzo Piccolomini e il Palazzo Vescovile.

D'altra parte la piazza come elemento di mediazione e di raccordo tra la chiesa e la città costituisce un leit-motiv dell'urbanistica rinascimentale. Era stato Filippo Brunelleschi a disegnare la Piazza della SS. Annunziata a Firenze come un foro porticato "alla maniera degli antichi". La chiesa della SS. Annunziata viene collocata lungo l'asse di simmetria di una piazza chiusa circondata da uniformi palazzi porticati su due piani, lo Spedale degli Innocenti da un lato e la Confraternità dei Servi di Maria dall'altro. Il modello della piazza "all'italiana" prende forma. Trapezoidale come a Pienza, quadrata come a Firenze, rettangolare allungata come a Vigevano.

E' qui che il Bramante concepisce la stessa operazione di raccordo e di mediazione. La Piazza Ducale diventa un grande spazio di raccolta della comunità di fronte al Duomo che ne occupa il fondale prospettico. Sotto gli edifici porticati su tre piani, le botteghe artigiane, i negozi, i caffè, i ristoranti costituiscono ancora oggi il nucleo della vita della città. Chiesa e comunità, quindi, dialogano intimamente collegate all'interno di uno spazio privilegiato che presenta ben precise caratteristiche: senso di chiusura per accentuare la presenza dell'edificio religioso; proporzione tra gli edifici in modo tale da mantenere una precisa gerarchia tra l'edificio religioso monumentale e quelli privati, domestici; armonia tra le facciate se non uniformità teatrale.

Il modello diventa un canone applicato in tutta Europa.

A Bologna, a metà del cinquecento, la grande chiesa di San Petronio diventa il perno della prima composizione urbanistica su vasta scala. Un imponente centro monumentale viene creato dal Vignola sviluppando un sistema di piazze porticate lungo un asse pedonale parallelo alla facciata laterale di San Petronio. Da Piazza Maggiore, con il Portico dei Banchi concepito come una facciata scenografica che riunisce organicamente le varie facciate disomogenee degli edifici medioevali preesistenti, fino a Piazza Galvani, aperta sull'abside della chiesa come anticamera alla sede dell'Università, un percorso porticato accentua il ruolo urbano di San Petronio e le relazioni tra spazio religioso e spazio civile.

A Santiago de Compostela, la cattedrale meta del pellegrinaggio del famoso "Camino de Santiago" diventa il perno di un'altra grandiosa sistemazione urbanistica a cavallo tra il XVI e il XVIII secolo. Invece d'isolare il complesso religioso come un oggetto a sè stante, il disegno urbano seguito dalla Curia compostelana persegue l'obiettivo di rendere la cattedrale e gli edifici religiosi annessi parte integrante di un ambiente urbano in cui sia possibile

greatest work of human art: the construction of a city, is immutable.

The church plays a fundamental role in this process.

The first example of "the ideal city," designed and built during the Renaissance, saw the rational application of all of the concepts which can be found applied in the same manner in a thousand others, apparently less well planned. In Corsignano, in the Tuscan countryside, Pope Pius II decided to give form to the concept of a model city embodying Umanistic concepts. Planned in an era of events which were tragic for Christianity, the city was designed to bear testimony to the perennial character of the spiritual principles of Christian civilization, the permanence of values in the face of changes in human conditions and powers. This example is focused on its center which contains a prototype of the typical piazza of the Italian Renaissance. An heir to the Roman tradition, Piazza Bernardo Rossellino in Pienza, designed between 1459 and 1462, is laid out in the form of a trapezoid in which the cathedral is framed by two symmetric buildings: the Piccolomini Palace and the Vescovile Palace.

On the other hand, the piazza as an element of mediation and connection between the Church and the city constitutes a leit-motif of Renaissance Urbanism. Filippo Brunelleschi designed the Piazza of the Annunciation in Florence with an arcaded forum, "in the ancient style." The church of the Annunciation was located along the symmetric axis of a closed piazza, surrounded by identical colonnaded two story buildings, the Innocents' Hospital on the one side and the Order of the Servants of Mary on the other. The model for the "Italian" piazza is trapezoidal like the one in Pienza, square like that in Florence, or rectangular like the one in Vigevano.

It is here that Bramante conceived the same function of meeting and negotiation. The Piazza Ducale becomes a large area in which the community can gather in front of the Duomo which occupies the background prospective. Under the three story buildings with arcades there are the artisans' workshops, stores, cafes, and restaurants which, today, still constitute the nucleus of city life. The Church and the Community, therefore, carry on a dialogue intimately connected to a privileged, internal area which presents precise characteristics: a sense of closure to accent the presence of the religious building, proportions between the buildings defined in a way which maintains a precise hierarchy between the monumental religious buildings and those buildings which are private, domestic; harmony among the facades, if not theatrical uniformity. The model has become a rule that has been followed in all of Europe.

In Bologna, in the middle of the fifteenth century, the imposing church of San Petronio became the pivot of the first urbanistic compositions on a grand scale. An imposing monumental center was built by Vignola by developing a system of arcaded piazzas along a pedestrian walk parallel to the side of San Petronio. From Piazza Maggiore, with the Arcade of the Banks conceived as a showy facade to give organic union to the various different facades of the existing medieval buildings, as far as Piazza Galvani, opening on the apse of the church a lobby for the University, an arcaded street accented the urban role of San Petronio and the relationship between religious and civil areas.

In Santiago de Compostela, the Cathedral, the destination of the famous pilgrimage called the "Camino de Santiago," becomes the pivot of another majestic urban complex which straddles the sixteenth and seventeenth centuries. Instead of isolating the religious complex as self-standing, the urban design followed by the Curia of Compostela pursues the objective of making the cathedral and the religious buildings connected with it an integral part of an urban environment in which it is possible to approach the sacred

avvicinare lo spazio sacro da svariati punti di vista, in svariati momenti della giornata grazie al sistema di spazi pubblici che lo connette al tessuto urbano limitrofo.

Dalla monumentale Plaza del Obraidoro che consente l'accesso principale al pellegrino, fino alla pittoresca Plaza de Platerias, dall'austera Plaza de la Quintana fino alla complessa Plaza de la Azabacheria, i principali edifici pubblici della città ruotano attorno al santuario in un gioco di prospettive multiformi dove i cambi di livello del terreno diventano occasioni per scenografiche scalinate.

L'elenco potrebbe continuare all'infinito citando le piazze attorno al Duomo di Salzburg in Austria o il complesso di piazze e piazzette ideato a Vitoria nei Paesi baschi dall'architetto Olaguibel a partire dal 1782 per collegare la città vecchia medievale con la nuova e stabilire un legame formale tra il centro amministrativo e le chiese di S. Vicente e S. Miguel.

Nel processo di costruzione della città occidentale è sempre possibile individuare il tracciamento di nuovi quartieri urbani attorno a edifici religiosi che costituiscono, insieme con il mercato locale e le sedi del potere civile, un riferimento simbolico per la strutturazione della comunità.

Talvolta il quartiere e il sistema di spazi pubblici è di tipo classico talvolta è di tipo vernacolare come nel caso dei Beguinages, vere e proprie "città dentro la città" costruite a partire dal XII secolo in Belgio e Olanda per un tipo particolare di comunità cristiana.

Questo sistema di rapporti urbanistici rappresenta una tradizione millenaria in base alla quale sono state costruite le belle città che oggi visitiamo talvolta contrassegnate come "centri storici". Questa tradizione continua anche in pieno XX secolo. Anche nei primi anni seguenti al secondo conflitto mondiale, la ricostruzione delle città europee segue il modello classico e la chiesa continua a svolgere un ruolo fondamentale nella strutturazione della cellula di base della città: il quartiere urbano.

Poi, qualcosa muta radicalmente. Così come l'ideologia modernista distrugge il tessuto tradizionale della città sostituendo ad esso l'agglomerato informe delle periferie urbane, le chiese diventano scatoloni astratti, edifici isolati privi di riferimento rispetto al contesto urbano.

La periferia diventa l'immagine materializzata della crisi della società contemporanea e l'isolamento dell'edificio religioso dal contesto urbano tradizionale della città diventa la metafora di una crisi ben più profonda.

Per avviare un vero Rinascimento sociale, culturale, religioso, è dunque necessario riannodare il dialogo con la grande tradizione architettonica e urbanistica occidentale. È necessario che la chiesa cattolica ritorni al suo ruolo fondamentale nella strutturazione della città. È necessario che la chiesa torni ad essere circondata da case e da piazze tradizionali in modo tale da fornire all'uomo del terzo millennio un riferimento costante e familiare, una rappresentazione simbolica dei valori eterni di armonia, di bellezza, di giustizia.

Davanti alla domanda di spazi per la costruzione di una comunità cristiana, gli esempi di Pienza, Bologna, Santiago, Metz sono più che mai attuali.

Basta saperli vedere e volerli imitare.

space from several points of view, at different times of day, thanks to a system of public spaces which connect it to the limits of the body of the urban area.

From the monumental Plaza del Obraidoro which constitutes the main avenue of access for pilgrims to the picturesque Plaza de Platerias, from the austere Plaza de la Quintana as far as the complex of Plaza de la Azabacheria, the main public buildings cluster around the sanctuary in a set of changing, multiple perspectives in which the changes in the level of the ground are compensated for by scenographic stairways.

The list could go on forever, citing the piazzas around the Duomo of Salzburg in Austria, or the complex of large and small piazzas created in Vitoria in the Basques Countries by the architect Olaguibel beginning in 1782 to connect the old medieval city with the new one and to establish a formal tie between the administrative centers of San Vicente and San Miguel.

It is always possible to recognize, in the process of construction of western cities, the layout of new urban areas around religious buildings that constitute, along with the local market and the seat of civil government, a symbolic reference for the structure of the community.

Sometimes the neighborhood and the system of public areas takes on a classical form and at other times it takes on a vernacular form such as that of the Beguinages which are true "cities within the city", built from the beginning of the twelfth century in Belgium and Holland for a particular type of Christian community.

This system of urban relationships represents a millennial tradition on the basis of which were built the beautiful cities which we visit today, often classed as "historical centers." This tradition continues to almost the end of the twentieth century. Even during the years immediately following the Second World War, the reconstruction of cities followed the classic model and the church continues to play a fundamental role in structuring the basis of the city: its urban areas.

Then, something changed radically. In the same way that modernist ideologies destroy the traditional fabric of the city, substituting for it a formless agglomeration of urban outskirts, the churches become abstract boxes, isolated buildings with no ties to the urban context.

The suburbs give concrete form to the concept of the crisis in contemporary society and the isolation of religious buildings from the traditional urban context provides a metaphor for a far deeper crisis.

In order to initiate a true cultural, religious Renaissance, it is, therefore, necessary to reopen the dialogue with the great Western architectural and urbanistic traditions. It is necessary that the Catholic Church takes up once more its fundamental role in structuring cities. It is necessary that the church be once again surrounded by traditional houses and squares in order to give man, in the third millennium, an unchanging and familiar point of reference, a symbolic representation of the eternal values: Harmony, Beauty and Justice.

Examples of the reply to requests for space in which to build a Christian community can be found today in Pienza, Bologna, Santiago and Metz.

All that needs to be done is to see them, understand them and be willing to imitate them.

RICONQUISTARE LO SPAZIO SACRO
RECONQUERING SACRED SPACE

L'ALTRA MODERNITÀ NELL'ARCHITETTURA LITURGICA DEL XX SECOLO
THE OTHER MODERN IN TWENTIETH CENTURY LITURGICAL ARCHITECTURE

I

Enrico GALEAZZI, Mario REDINI, Giuseppe NICOLOSI

Basilica minore di S. Eugenio/*Minor Basilica of St. Eugenio*
Roma - Italia
1942 - 1951

Giuseppe ZANDER

Chiesa Parrocchiale di S. Leone I/*Parish Church of St. Leone I*
Roma - Italia
1951

Saverio MURATORI

**Chiesa Parrocchiale dell'Assunzione di Maria Santissima/*Parish Church of Assumption of Mary Most Holy*
Roma - Italia
1953-57**

Francesco FORNARI

Chiesa Parrocchiale dell'Ascensione di N. Signore Gesù Cristo/*Parish Church of the Ascension of Our Lord Jesus Christ*
Roma - Italia
1942

Keefe Associates:
Chiesa di Santa Teresa, - USA 1993
St. Therese Church, - USA 1993

RICONQUISTARE LO SPAZIO SACRO
RECONQUERING SACRED SPACE

CONTINUARE LA TRADIZIONE ALLE SOGLIE DEL TERZO MILLENNIO
TO CONTINUE TRADITION ON THE THRESHOLD OF THE THIRD MILLENNIUM

II

Hamilton Reed ARMSTRONG

Porte del "Credo"/*"Credo" doors*
Nuestra Sra del Rosario, Fuengirola - España
1975

Armstrong realizza le figure in cera, le cola nel gesso e poi nel bronzo, secondo la tradizione degli scultori rinascimentali come Michelangelo e Donatello.

He made his wax figures, cast them in plaster and then in bronze, in the tradition of the Renaissance bronze sculptors like Michelangelo and Donatello.

"La gente pensa che le opere d'arte debbano stare nei musei; ma in realtà esse dovrebbero stare nelle case delle persone per ispirarle e trasformarle".

"People think that art should be in museums; but it really should be in people's homes, to inspire and transform them".

"Per quanto mi riguarda, non si possono separare arte e religione. L'immaginazione può riempirsi d'immagini belle o brutte. C'è molta arte pagana fuori di qui".

"As far as I'm concerned, you cannot separate art and religion. The imagination will be filled with good images or with bad images. We can't get around that. There's a lot of pagan art out there".

"I santi sono qui. Queste immagini dovrebbero condurci alla realtà sostanziale della nostra fede".

"The saints are there. These images should bring us closer to the substantial reality of our faith"

"Alcuni modernisti credono che l'arte sia al di sopra di ogni legge. Molta dell'arte moderna è espressione di un autoassorbimento che conduce al nichilismo".

"Some modernist feel that art is above all law. Much of the modern art out there is an expression of self absorption leading to nihilism"

AA.VV.

Monastero di Nostra Signora degli Angeli/*Our Lady of the Angels Monastery*
Hanceville, Alabama - USA
in costruzione/*under costruction*

Situato lungo le rive del Mulberry Ford River, in Hanceville, Alabama, il Monastero di Nostra Signora degli Angeli, si erige pittoresco tra i prati color smeraldo e i fiori di campo in un podere di 165 ettari. Modellato sulla Basilica di San Francesco di Assisi, in Assisi, Italia, il Monastero di 93,000 m², con una cappella, un campanile alto 25 metri ed una piazza, ospita 31 Suore della Povera Chiara della Perpetua Adorazione. La Cappella il cui tetto è alto 27 metri, riprende lo stile del 13mo secolo con 16 vetrate colorate provenienti dalla Germania. La Badessa Madre Maria Angelica è anche conosciuta per il suo apostolato alla Eternal Word Television Network (EWTN).

Nestled along the Mulberry Ford River bank in Hanceville, Alabama, Our Lady of the Angels Monastery stands picturesque among emerald grass and wildflowers on a 339 acre farm. Modeled on the Basilica of St. Francis of Assisi in Assisi, Italy, the 100,000 square foot Monastery, with a chapel, 116 foot bell tower and piazza, is home to 31 Poor Clare of Perpetual Adoration Nuns. The Chapel standing 88 feet high, reflects a 13th century style design with 16 stained glass windows from Germany. The Abbess, Mother Mary Angelica, is also known for her communication apostolate Eternal Word Television Network (EWTN).

Andrea BACIARLINI

Restauro Cappella di San Colombano presso le Grotte Vaticane/*Restoration of St. Colombano Chapel inside the Grotte Vaticane*
Roma - Italia
1999

Ristrutturazione ed adeguamento dello spazio celebrativo, all'interno delle antiche mura della Basilica Costantiniana visibili sul lato sinistro.

Restructuring and renewal of the celebrative space, inside the ancient walls of the "Basilica Costantiniana" visible on the left side.

Cappella dei Martiri Irlandesi presso il Collegio Irlandese in Roma, 1997:
particolare del Tabernacolo in argento, avente forme tradizionali celtiche.

Chapel of the Irish Martyrs beside the Irish College in Rome, 1997:
detail of Sanctuary in silver, with traditional celtic forms.

Andrea BACIARLINI

Chiesa Parrocchiale dei Ss. Cirillo e Metodio/*Ss. Cirillo & Metodio Parish Church*
Roma - Italia
1994

Da notare i vari livelli ed ambiti spaziali nel passaggio tra l'esterno (Sagrato, Nartex) e l'interno dell'edificio liturgico (Portale, Aula, Spazio celebrativo, Cupola), unificati dal lungo percorso assiale che da fuori conduce fino all'altare.

To note the different levels and spatial areas along the passage from exterior (Churchyard, Narthex) and the interior of the liturgical building (Portal, Liturgical Hall, Celebrative Area, Dome), unified by the long axial corridor coming in from outside to the altar.

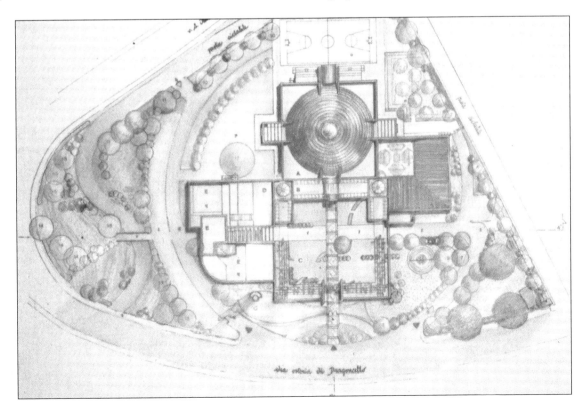

Sandro BENEDETTI

Chiesa Parrocchiale di S. Alberto Magno/*St. Alberto Magno Parish Church*
Roma -Italia
1990

BEYER BLINDER BELLE Architects

Restauro dellaCattedrale della Maddalena/*Restoration of the Cathedral of the Madeleine*
Salt Lake City, Utah - USA
1992

Punto di riferimento locale e nazionale, la cattedrale è stata annoverata nel Registro Nazionale dei luoghi storici nel 1971. L'interno è fino ad oggi l'unico esempio, in tutto l'ovest degli Stati Uniti, di stile ornato *Gothic Revival*. Dopo circa un secolo, molte delle decorazioni interne erano in pericolo di rapido deterioramento. L'attuale restauro cominciò nel 1980 dopo un'indagine iniziale della struttura. Sculture in legno, marmi, pitture decorative e murali, insieme a vetri colorati, furono analizzati singolarmente. Sono state effettuate ricerche storiche ed analisi delle condizioni che avrebbero consentito un restauro fedele alle sue caratteristiche originali. Un sistema di controllo climatico idoneo è stato collocato in maniera discreta dietro al rivestimento murario. E' stato installato un nuovo sistema d'illuminazione, compresi gli infissi in ottone pieno che richiamano gli originali. Le modifiche acustiche furono apportate per migliorare la risonanza e il suono nello spazio. La creazione di ambienti privi di barriere architettoniche permette ora l'accesso senza limitazioni di sorta. L'adattamento sismico dell'intera struttura del tetto ha stabilizzato le mura in mattoni non rinforzate già esistenti. Gli adeguamenti liturgici includevano un nuovo altare centrato in onice e marmo, modifiche al Santuario, sedute congregazionali sui tre lati della piattaforma dell'altare nella navata e nel transetto, nonché un nuovo fonte battesimale. È stata creata una piccola Cappella eucaristica. Un organo a canne, disegnato da Kenneth Jones, include parti in quercia intagliata, canne in stagno lucido e rilievi dorati. Il costo stimato del progetto era di 8,1 milioni di dollari. La divisione della costruzione in due fasi (demolizione e documentazione nella fase 1, restauro e costruzione nella fase 2) consentì di mantenere gli imprevisti al minimo. Il costo finale fu di 8,4 milioni di dollari.

A landmark of both local and national significance, the Cathedral was named to the National Register of Historic Places in 1971. The interior that survives today is the only example in the entire western United States of the ornate Gothic Revival style. However, after nearly a century, much of the decorative interior was in danger of rapid deterioration. The current restoration began when an initial investigation of the structure was commissioned in 1980. Wood carvings, marble, decorative paint and murals, and stained glass were individually analyzed. Historical documentation and conditions surveys were conducted, enabling the cathedral to be faithfully restored to its original condition. A state-of-the-art climate control system was discreetly installed behind the paneled walls. A new lighting system was installed, including decorative solid brass fixtures reminiscent of the originals. Acoustical improvements were designed to increase resonance and sound in the space, and a new comprehensive mechanical and electrical distribution system was installed. The creation of barrier-free environs now provides unlimited access. Seismic retrofitting of the entire roof structure stabilized the existing unreiforced masonry walls. Liturgical changes included a new, centered, onyx and marble altar; modifications to the Sanctuary; congregational seating on three sides of the altar platform in the nave and transept, and a new baptismal font. A small Eucharistic Chapel was created. A new pipe organ, designed by Kenneth Jones, includes hand-carved oak organ casings and organ pipes of polished tin, with embossed and gilt features. The estimated cost of the project was $8.1 millions. Splitting the construction into two phases (Demolition and Completion of Contract Documents-Phase I; Restoration and Construction-Phase II) helped to hold unforeseen conditions to a minimum. The final cost was $8.4 millions.

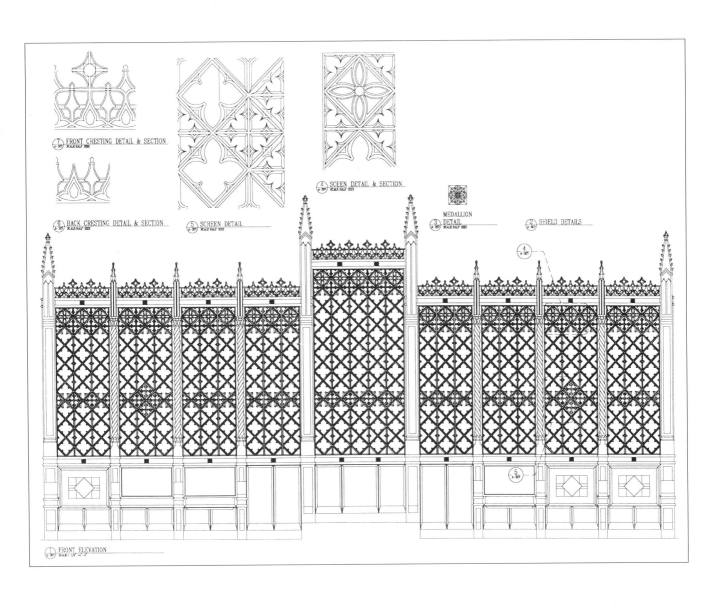

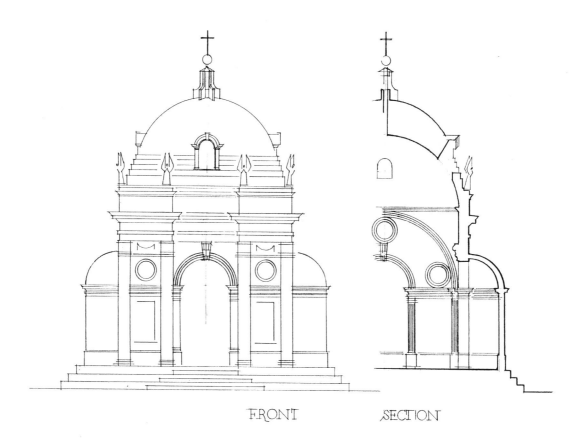

FRONT   SECTION

Piotr CHOYNOWSKI

Proposta per una Cappella dedicata a S. Massimiliano Kolbe/*Proposed Chapel dedicated to St. Maximilian Kolbe***
Auschwitz - Polska
1999**

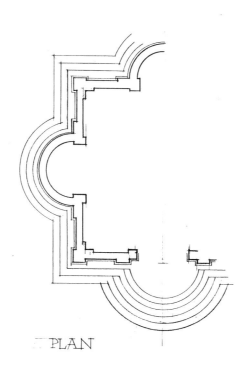

PLAN

CURTIS & WINDHAM

Chiesa dell'Immacolata Concezione/*Immaculate Conception Church*
Jefferson, Texas - USA
1995

La Chiesa si trova in una piccola città situata nella regione nord orientale dello stato del Texas fondata e sviluppata negli ultimi anni dell'800. Da un punto di vista ambientale la regione di Jefferson è una delle ultime grandi aree boschive del Texas. All'epoca della sua fondazione il linguaggio architettonico predominante in Texas era una sorta di interpretazione informale e regionalistica del Greek Revival e dell'architettura Vittoriana. La Chiesa dell'Immacolata Concezione è un piccolo edificio religioso della superficie di appena 625 metri quadrati costruita esclusivamente in legno e progettata secondo i principii del Concilio Vaticano II. Il suo volume definisce i limiti della piazza principale della città situata lungo il lato orientale dell'edificio diventandone il principale elemento visivo, ricalcando le tipiche gerarchie volumetriche degli edifici pubblici nelle città americane costruite tra la fine dell'800 ed i primi del secolo.

The church is in a small town in northeast Texas which was initially and primarily developed in the late 1800's. Regionally, Jefferson's site is one of the last great forested areas of Texas. At this time in Texas history, a regional and somewhat unscholarly Greek Revival as well as Victorian architecture was being interpreted from the architectural pattern books of the day. The Immaculate Conception Church is a small, 6,800 square-foot, wood-framed and clapboarded church based on Vatican II principles. The siteplan and building masses support the primary Town Square, which is directly adjacent, the East side of the church. Immaculate Conception Church builds upon an established architectural hierarchy developed within American towns of this period, where the church was a primary, foreground building within the city.

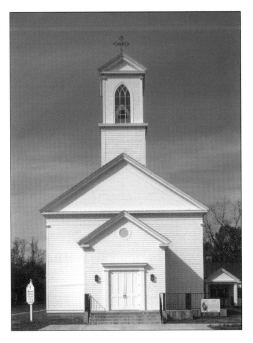

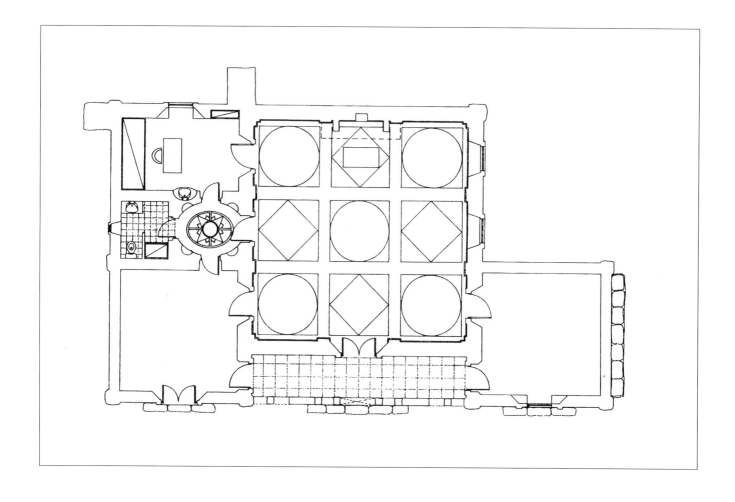

José CORNELIO DA SILVA & José Franqueira BAGANHA

Nuova Chiesa di Azoia/*New Church of Azoia*
Sintra - Portugal
1992 - 1995

La chiesa si trova nel villaggio di Azoia, la città più occidentale d'Europa. La sua posizione, ai piedi della montagna di Sintra, digradante verso la scogliera, apre un'ampia visuale verso l'oceano. Lo scenario paesaggistico è di particolare bellezza ed è stato già oggetto di lode da parte di Plinio il Vecchio nella sua *Storia Naturale*. Infatti Sintra è considerata una gemma nell'eredità mondiale, classificata come "Paesaggio Culturale". Azoia è un piccolo villaggio e non ha mai avuto una chiesa, cosicché gli abitanti si sono sempre dovuti recare nel vicino villaggio di Ulgueira per partecipare alla messa. Un comitato cittadino sorse su incoraggiamento di Padre Manuel Machado, il parroco della chiesa di Colares, che era a quel tempo responsabile per l'area. Egli propose al comitato di chiedere il mio contributo per il progetto della chiesa, essendo io residente a Colares. Il primo progetto presentato, rispondendo a canoni tradizionali e regionali, non venne accettato dal Dipartimento di Architettura della Chiesa Portoghese. Gli architetti, che non appartenevano al clero, criticarono la proposta giudicandola troppo tradizionale e classica. Un incontro con il Vescovo Don Antonio Rodrigues portò a un chiarimento circa la scelta di un progetto classico, all'interno di un approccio regionale, come noi suggerivamo. Il sindaco di Sintra approvò immediatamente dopo il progetto e di lì a poco partirono i lavori. Insieme con Padre Machado e il comitato cittadino di Azoia, costituimmo un buon gruppo di lavoro. Molta gente del comitato fu coinvolta nella ricerca dei finanziamenti senza i quali non sarebbe stato possibile realizzare l'opera. Un grande incoraggiamento ci venne dal Patriarca di Lisbona Don Antonio Ribeiro, il quale contribuì personalmente a livello economico oltre che con diverse amichevoli visite durante i lavori.

The Church was erected in the village of Azoia the westernmost town of the whole european continent. The town of Azoia is between the slopes of the Sintra mountain and the clifs that provide wide and far reaching views of the ocean. Thus the scenery is of a particular landscape beauty and had been already praised by Pliny the Elder in his Natural History. In fact Sintra is considered a World Heritage gem, classified as "Cultural Landscape". Azoia is a small village and had no Church, so the inhabitants had to go to the next village of Ulgueira to attend mass. A committee of people from Azoia was founded encouraged by Father Manuel Machado, the priest of the main church of Colares who was at that time responsable for the area. He proposed the committee to ask me to contribute with the design of the church, as I am a resident in Colares. The first designs that were issued, following a traditional and regional pattern were not well received by the department of architecture of the Portuguese church. The architects, who did not belong to the clergy, criticized the proposed designs as too traditional and classic. A meeting with the Bishop Dom António Rodrigues provided much help clearing the way to a more classic design, within a regional approach, as we desired.

The Mayor of Sintra gave immediate approval for the church and the works started soon after. Together with Father Machado and the Committee of Azoia we made a good team work. Many people of the Committee were involved in fund raising as the building was to be build without other financing. Much encouragement was given by the Late Patriarch of Lisbon, D. António Ribeiro, in a private friendly visit during the works, and also in the form of a personal contribution to the funds.

I lavori cominciarono nel 1988. Quando nel 1992 l'edificio fu terminato, decidemmo che avrebbe potuto concorrere al *1992 American Design Award, International Forum on Religious Art and Architecture*. Restammo felicemente sorpresi quando attribuirono al nostro progetto il premio IFRAA 1992. Ma il riconoscimento internazionale non fu pubblicizzato sulla stampa portoghese; era la prima volta che un progetto tradizionale portoghese riceveva un riconoscimento ufficiale a livello internazionale. Il progetto della chiesa si è basato sull'idea di comunione, di comunità - la *Ecclesia*. Il concetto rinascimentale delle chiese a pianta centrale era per noi il principio fondativo. Il cerchio come simbolo sacro di unità, con un centro equidistante da ogni punto della circonferenza, evidenzia l'idea dell'Uno e dell'Unità. Il modulo di 1 metro è stato moltiplicato per tre (Padre, Figlio e Spirito Santo), tale modulo di Tre è stato a sua volta moltiplicato tre volte a formare tre moduli ogni lato, disegnando un quadrato che circoscrive il cerchio. Da qualunque punto interno la Trinità è sempre presente in proporzionalità spaziale. All'interno è stato usato l'ordine ionico. La trabeazione di 1,10 m fa da coronamento allo spazio quadrato centrale. La luce si riflette sul soffitto, invitando il fedele ad abbandonare i pensieri terreni e ad incontrare la Luce che viene dall'alto. Le uniche due finestre di lato sono in una posizione sufficientemente alta da permettere alla vista di contemplare il cielo. La pianta della chiesa è orientata secondo l'arco solare. La luce del mattino entra attraverso un oculo proiettando un fascio di luce sopra l'altare, dalla parte opposta all'oceano. Ai due lati della chiesa ci sono due stanze Alpha e Omega, il Principio e la Fine, una stanza per il catechismo dei giovani e una stanza per il raccoglimento di fronte alla salma prima della sepoltura. Dal disegno e dalla forma, i materiali riprendono i colori e le tipologie locali. I marmi locali impiegati garantiscono la durata e conferiscono all'edificio nobiltà attraverso gli anni. La pietra Petrus-Petra rappresenta la Chiesa stessa, la sua eterna solidità, riportandoci alla memoria la fondazione della Chiesa da parte dell'Apostolo Pietro.

The work began in 1988. By 1992 the building was almost finished and I was encouraged to participate at the 1992 American Design Award, International Forum on Religion Art and Architecture. *We were happily surprised by the attribution of the 1992 IFRAA. But the Prize was not given much space in the portuguese press, as a traditional design was put in evidence by an International prize for the first time. The church design started with the idea of togetherness, of unity - the* Ecclesia. *The renaissance concept of centrally planned churches came as a primeval concept. The circle as a sacred symbol of unity, as there is only one center, and at the same distance from the whole circumference, stresses the idea of One and Unity. The one meter module was multiplied by three (The Father, The Son and The Holy Spirit), and this module of Three, was in itself, multiplied three times in order to establish three modules on each side, building a square to envelope the circle. Wherever one is looking in the inside the Trinity is there in a proportionate spaciality. The ionic order was used in the interior. An entablature of 1,10 m does the coronation of the interior square space. The light reflects over the ceiling, calling the faithful to raise their feelings and meet the Light above. The only two side windows are sufficiently high in order to take the eye view to the sky. The church plan is oriented to solar year average rising-setting. The light in the morning will come through an oculi just over the Altar, and will project the setting light over the Altar, opposite to the ocean. On both sides of the Church are two rooms, Alpha and Omega, the Beginning and the End. The room for teaching catechism to the young and the room for overnight farewell to a deceased before burial. Thus its design and shape, characteristics and materials should meet local textures, colours, and appear familiar. There was also the need for natural materials that could age with nobility, thus the local granite was used as the main stone, together with local marbles to sweet the inside space. The stone Petrus-Petra is the Church, its eternal solidity, and takes our memory back to the foundation of the Church by the Apostle Peter.*

Javier COTELO

Altare della Basilica minore di S. Eugenio/*Altar of the minor Basilica of St. Eugenio*
Roma - Italia
1995

Javier COTELO

Cappella Feriale per la Chiesa del Beato Josemaria Escrivà/*Ferial Chapel for the Altar of the Blessed Josemaria Escrivà Church*
Roma - Italia
1999

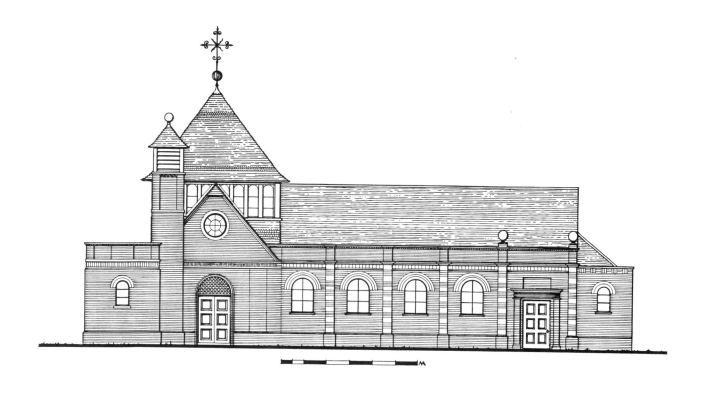

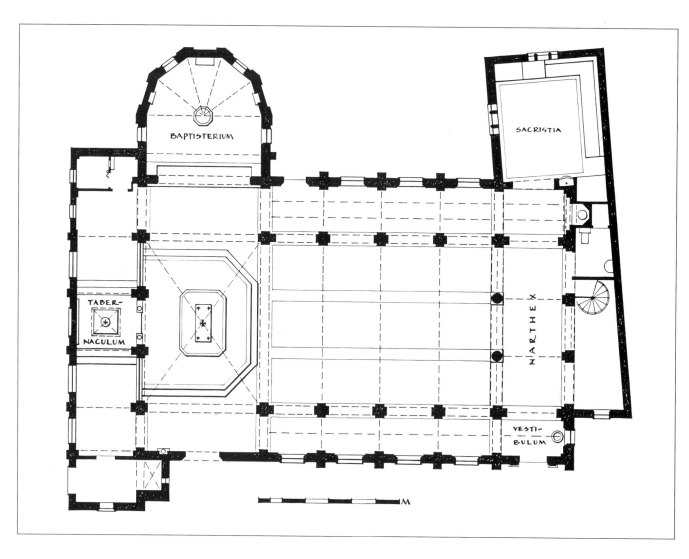

BAPTISTERIUM

SACRISTIA

TABER-
NACULUM

NARTHEX

VESTI-
BULUM

90

Anthony M. J. L. DELARUE

Chiesa del Corpus Christi/*Corpus Christi Church*
Tring Hertforshire, London - United Kingdom
in costruzione/*under construction*

Il progetto è per una nuova Chiesa, attualmente in cantiere, in una piccola città a nord di Londra. Progettata sulla base di un ristretto finanziamento, essa unisce parti di una piccola cappella in mattoni pre-esistente. La nuova Chiesa rispetta il semplice linguaggio architettonico del vecchio edificio ed il progettista ha sviluppato lo stile dell'arco con i mattoni che usò nel 1982, come studente a Roma, per una proposta per una Chiesa immaginaria a Londra. Il disegno porta insieme diverse tradizioni di costruzioni in mattoni: la basilica romana, la più tarda pianta della basilica cristiana, il rinascimento inglese e la tradizione locale rurale. La costruzione è in solide mura in mattoni, con il nucleo in struttura a nido d'ape, una tecnica basata sugli studi sviluppati dai romani e dagli inglesi in epoca Tudor, realizzate in mattoni annegati in malta di calce idraulica. Gli archi non sono rinforzati e la massiccia costruzione evita il bisogno di giunti. La struttura fornisce un ciclo termico molto lento, evitando i problemi di surriscaldamento estivo, comuni a molte Chiese moderne, aggiungendo al tempo stesso un senso visivo di sostanza e permanenza. La pianta interpreta le moderne norme liturgiche all'interno della tradizione classica cattolica, previste dal Concilio Vaticano II e, mentre dà grande visibilità dai posti a sedere nella navata e nei transetti, mantiene la corretta gerarchia dell'altare con il santuario a pianta centrale sotto la cupola. Il Santissimo Sacramento è collocato sull'asse centrale della Chiesa ed è visibile dalla navata, ma all'interno di una cappella separata dietro l'altare, divisa da questo da una griglia in ferro, sotto una lanterna con vetrata di color ambra. Il battistero absidato è costruito alla fine del transetto sud, al posto del santuario della vecchia cappella. Mantenendo un contatto con la tradizione della parrocchia, il vecchio altare di marmo è stato riutilizzato così come altri elementi: campane, acquasantiera, piscina, statue etc.

The project is for a new church (currently under construction), in a small town to the north of London. It is designed on a restricted budget, and incorporates parts of an existing small brick chapel. The new church respects the simple vocabulary of the building, and the architect has developed the brick arcaded style first used in 1982, as a student following his time in Rome, on a proposal for an imaginary London church. The design brings together several disparate traditions of brick construction: the roman Basilica, the later Christian Basilica plan, the english renaissance, and local rural tradition. The construction is of solid brick walling, with honeycomb core, a technique based upon studies of both roman and english tudor brickwork, laid in hydraulic lime mortar. Arches are un-reinforced, and the massive construction both prohibits and obviates the need for movements joints. The structure provides a very slow thermal cycle, avoiding the problems of summer overheating common to many lightweight modern churches, while at the same time adding a visual sense of substance and permanence. Liturgically the plan interprets the modern rubrics within classical Catholic Tradition, as foreseen by the Second Vatican Council, and, while providing great visibility from seating in the nave and transepts, maintains the correct hierarchy of the Altar within the centrally planned sanctuary under the tower. The Blessed Sacrament is housed on the central axis of the church and visible from the nave, but within a separate chapel behind the altar, divided from it by ornamental iron grilles, and beneath its own lantern glazed with amber glass. The apsidal baptistery is built at the end of the southern transept, on the site of the sanctuary of the old chapel. Maintaining a link with the tradition of the parish, the old marble altar has been reused, as have other elements: bells, holy water stoup, piscina, statues, etc.

Anthony M. J. L. DELARUE

Chiesa Cattolica di S. Giuseppe/*St. Joseph's Catholic Church*
Barbican, London - United Kingdom
1993

L'interno di questa Chiesa sotterranea, originariamente costruita nel 1900, è stato gravemente mutilato dalla trascuratezza e da riordini inadatti secondo un senso sviato della nuova liturgia ed aveva l'apparenza di una sala-conferenze non conformista! Il progetto ha previsto un interno rinnovato, in stile rinascimentale per la navata, ed un tabernacolo con pannelli arcati di finto marmo, imposti dal minimo finanziamento stanziato. Il nuovo altare, che segue la tradizione degli altari coperti con baldacchino, ripristina la dignità della disposizione liturgica in questa piccola Chiesa ed è un'interpretazione molto accurata della gerarchia delle varie parti richieste dalla nuova liturgia, piuttosto che il denudato egualitarismo della precedente redisposizione, tristemente ancora così comune. Esternamente un nuovo arco, incorporante l'insegna papale, è stato costruito per segnare l'entrata, usando l'architettura e dei simboli riconoscibili, per evidenziare chiaramente la presenza di una Chiesa Cattolica.

The interior of this subterranean church, originally built in 1900, had been severely mutilated by neglect and by inappropriate reordering in a misguided response to the new liturgy and had the appearance of a non-conformist meeting hall! The project provided a completely new interior, in a restrained Renaissance style for the nave and a sanctuary with arched panels of coloured faux-marbre, dictated by the small budget. The new altar, in the tradition of a curtained altar with canopy, restores the dignity of the liturgical setting in this small church, and is a far more accurate interpretation of the expression of the hierarchy of the various parts expected in the new liturgical legislation than the denuded egalitarianism of the previous re-ordering, sadly still so commonplace. Externally a new archway, incorporating the papal insignia, was built to define the entrance down a long flight of steps, using the architecture, and readily recognisable symbols, to express clearly the presence of a Catholic Church.

Roxolana LUCZAKOWSKY

Cappella Bizantina/*Byzantine Chapel*
Malaga - España
1975

Camilian DEMETRESCU

Chiesa di S. Giacomo e Filippo/*Church of St.Giacomo and Filippo*
Gallese, Viterbo - Italia
1977

Eretta nel XI-XII secolo, questa Chiesa romanica cistercense dedicata a S. Filippo e Giacomo si trovava nel 1977 in stato di rovina. Un fitto bosco di fichi selvatici cresciuti dentro la navata aveva sfondato il tetto. Chiesa di pellegrinaggio, situata su una diramazione dell'antica Via Amerina che collegava Orte alla Via Francigena, passando vicino al grande complesso monastico cistercense di Falleri, svolse nel Medio Evo la funzione di appoggio ai pellegrini che transitavano verso Roma. Col tramonto dei pellegrinaggi la chiesa perse la sua importanza. Nel 1977, col permesso dei proprietari, la chiesa fu restaurata senza alcun contributo, da una famiglia ortodossa (dello scultore Camilian Demetrescu, esule dalla Romania) e riconsacrata. L'edificio si presenta con un'abside circolare, orientata rigorosamente secondo la tradizione paleocristiana. All'interno è visibile un affresco raffigurante Maria a seno nudo, col bambino, parzialmente ricoperto dalla calce. Il restauro del 1977 riportò il rudere alla sua integrità originaria. Dopo lo sgombero delle grosse radici incastrate tra le tegole del tetto crollato e i mattoni dell'antico pavimento, sono stati smontati e rimessi i blocchi di tufo pericolanti. Sui bordi della navata fu ritrovato il livello del pavimento originale, interamente rifatto - sia con pianelle dell'antico tetto, sia con materiale di recupero da vecchi casolari. La carpenteria del tetto è stata ricostruita sul modello romanico, in legno di castagno proveniente dai vicini monti Cimini. Le tegole alla romana per la copertura sono state recuperate da vecchi edifici rustici, mentre all'interno le campigiane sono state dipinte con triangoli bianchi e neri, riprendendo il motivo frequente nelle chiese romaniche della zona (come a San Famiano di Gallese). L'architrave di castagno della tettoia, ricordando usanze della civiltà del legno della Transilvania, sporge lateralmente con due teste di cavallo, simbolo medievale della custodia sacra. Attualmente la chiesa è vincolata dalla Sovrintendenza ai monumenti dell'Alto Lazio ed è sede di un centro culturale per la rinascita dell'arte sacra.

Built during the eleventh and twelfth centuries, the Romanesque Cistercian church, dedicated to Saints John and Philip was, by 1977, in a state of complete ruin. A thick wood of wild figs, grown up within the nave, had broken through the roof. A Church of Pilgrimages, situated in a fork of the ancient Via Amerina which connects Orte with Via Francigena, which passing close by the large Cistercian monastic complex of Falleri, served, in the Middle Ages as a point of support for the pilgrims who travelled toward Rome. With the decline of the pilgrimages, the church was restored without any outside contributions, by an orthodox family, (that of the sculptor Camilian Demetrescu, an exile from Romania), and reconsacrated. The Edifice presents itself with a circular apse, oriented rigorously according to the Paleocristian tradition. On the inside a fresco depicting Mary with her breasts uncovered, with the Christ child, partially covered by whitewash. The restoration of 1977 restored the original integrity of the ruin. After the removal of the large roots embedded between the tiles of the roof which had fallen in and the bricks of the ancient pavement, the tumbledown blocks of calcufa were removed. The level of the original pavement was found on the edges of the nave, completely redone both with tiles from the ancient roof and with materials retrieved from old cottages. The carpentry work of the roof was reconstructed on the Romanesque model: in chestnut which came from the nearby Cimini mountains. The Roman style tiles for the roof were retrieved from old rustic buildings, while on the inside the campigiane have been painted with black and white triangles, taking up again the motif frequently used in the Romanesque churches in the area, (like in San Famiano of Gallese). The chestnut architrave of the roof, which recalls the usage of the civilization of wood in Transilvania, protrudes laterally with two horse's heads, a medieval symbol of the sacred guardianship. At the present time the church is bound by the Sovrintendenza of the monuments of upper Lazio and is the premises of a cultural center for the revivial of sacred art.

Francesco Saverio & Stefano FERA

**Studio di facciata per una Chiesa a/*Project for a facade of a Church in*
Greenville, South Carolina - USA
1999**

Francesco Saverio & Stefano FERA

Progetto di decorazione ad affresco della facciata di/*Project for fresco decoration of the facade of*
S. Maria delle Grazie la Nuova
Genova - Italia
1999

Frederick HART

Scultura della Creazione *"Ex Nihilo"* per la facciata principale della Cattedrale di Washington D.C. - USA
"Ex Nihilo"Creation Sculpture for the main facade of the National Cathedral in Washington D.C. - USA
1984

"Io sono un outsider vero e proprio, perché accettare me significa rifiutare molti dei dogmi moderni sull'arte. Il mio lavoro è anacronistico – come il Rinascimento. Vuole raggiungere la sostanza e la bellezza. Voglio essere compreso. Non sopporto l'arte oscura. Questa non è arte fine a se stessa, è vita."

"I'am a total outsider, because to accept me is to reject a lot of modern dogma about art. My work is anachronism - like the Renaissance. It strives for substance and beauty. I want to be understood. I have no patience with obscure art. This isn't art for art's sake, it's life".

In un secolo caratterizzato dall'astrazione e dal nichilismo, le Sculture della Creazione segnano un ritorno ad un ordine estetico e morale evocativo della grande scultura dell'antica Grecia. Le Sculture della Creazione consistono in tre bassorilievi di pietra sopra le grandi porte in bronzo della Cattedrale sulla facciata occidentale, con tre sculture di dimensioni reali di San Pietro, San Paolo e Adamo al centro dei portali. Per esprimere le "polarità della creazione" Hart ha usato i simboli della Creazione del Giorno e della Notte per gli altri due timpani. *"Le sculture della Creazione vogliono mettere insieme una singola espressione della creazione come la metamorfosi dello Spirito Divino e l'energia. Nel timpano centrale, Ex Nihilo, le figure emergono dal nulla del caos, colte nel momento di trasformazione eterna, si elevano libere dall'assenza di forme che le avvolgono"*. Piuttosto che creare immagini nella maniera ecclesiastica convenzionale, egli sceglie "immagini metaforiche della creazione come un fenomeno continuo di evoluzione e rivelazione divine. Tutto è incentrato nella creazione, non come un evento statico di un momento, ma come un processo in corso, un'apertura dell'universo".

In a century marked by astraction and nihilism, the Creation Sculptures mark a return to an aesthetic and moral agenda reminiscent of the great sculpture of ancient Greece. The Creation Sculptures consist of three massive stone basreliefs set above the Cathedral's great bronze doors on the west facade, with three life-sized sculptures of St. Peter, St. Paul and Adam at the center of the portals. To express the "polarities of creation" Hart used symbols of the Creation of Day and Night for the other two tympanums.
"The Creation Sculpture are meant to combine a single expression of creation as the metamorphosis of Divine Spirit and energy. In the central tympanum, Ex Nihilo the figures emerge from the nothingness of chaos, caught in the moment of eternal transformation, they arise freed from the enveloping formlessness". *Rather than creating images in the conventional ecclesiastical mode, he chooses "metaphorical images for creation as a continuous phenomenon of divine evolution and revelation. The whole concept is creation, not as a static one-time event, but as an ongoing process, an unfolding of the universe".*

Santiago HERNANDEZ

Chiesa Parrocchiale del Beato Josemaria Escrivà/*Parish Church of Blessed Josemaria Escrivà*
Roma -Italia
1995

Si trova nel comprensorio delle Tre Fontane in un quartiere che si è sviluppato fin dagli anni '70 e che conta già 8000 abitanti. La Chiesa è stata solennemente dedicata da Papa Giovanni Paolo II nel marzo scorso in onore del Beato Josè Maria Escrivà, fondatore nel 1928 dell'Opus Dei, alla presenza di S.E. Card. Camillo Ruini e dell'attuale prelato della Prelatura dell'Opus Dei S.E. Mons. Javier Echevarria. Ho ricevuto l'incarico nel 1992 da S.E. Mons. Alvaro Del Portillo, allora Prelato dell'Opus Dei, che in occasione della Beatificazione del fondatore dell'Opera, il Beato Josè Maria Escrivà, intendeva offrire una chiesa al Santo Padre nella sua diocesi di Roma. L'impegno che Mons. Del Portillo mi ha richiesto è stato preciso: la Chiesa doveva essere riconoscibile, funzionale e soprattutto romana e sarebbe anche dovuta essere una Parrocchia, adatta cioè alle svariate funzioni pastorali ivi svolte. Devo dire che questo è stato il mio fine ultimo e la base di tutto il lavoro. Si doveva costruire in un terreno difficile, stretto dalle architetture esistenti dei grandi comparti edilizi di differenti funzioni. Ho pensato perciò di inserire tra quegli edifici una facciata tersa, una presenza architettonica garbata che facesse parte delle nostre tradizioni culturali, e che esprimesse contemporaneamente una forte carica simbolica religiosa, organizzandola in un suo spazio nel quale non rimanesse schiacciata dai forti volumi che la circondavano. L'obiettivo è stato quello di qualificarla come polo aggregante dell'ambiente urbano in cui doveva sorgere e mettere in evidenza una caratteristica

The church is in the Three Fountains district in Rome, which was developed at the end of the seventies and which now has 8000 inhabitants. The Church was solemnly dedicated by Pope John Paul the Second, in the presence of His Excellency Cardinal Ruini and the present prelate of the Prelatura of the Opus Dei, Monsignor Javier Echevarria, last March in honour of Blessed Jose Maria Escriva, who founded the Opus Dei in 1928. I was commissioned in 1992 by his Excellency Monsignor Alvari Del Portillo, at the time Prelate of the Opus Dei, who, on the occasion of the Beatification of the founder of the Opera, Blessed Josemaria Escriva, intended to offer a church to the holy Father in his diocese of Rome. The commitment which Monsignor Del Portillo requested of me was precise: the Church must be recognizable, functional, and, above all, Roman and it would also have to be a Parish, adapted, that is, to the several pastoral functions which would be held there. I would like to state that this was my ultimate aim and the basis of all my work. It was necessary to build on a difficult terrain, hemmed in by the existing architecture of large complexes with different functions. I thought, therefore, to insert among those buildings a clear facade, a graceful architectural presence which is part of our cultural traditions and which, at the same time, expresses a strong religious significance, organizing it in a space of its own where it would not be crushed by the large volumes surrounding it. The objective was to give it the qualification of an aggregating pole in the urban environment in which it had to rise

estetica di familiarità per tutti gli abitanti del quartiere che si dovevano inserire nella nuova comunità ecclesiale. Guardare quindi verso il nostro passato per cercare quegli insegnamenti indispensabili che ci permettano di rielaborarli in un'ottica moderna e più vicina al nostro tempo. Per cui il mio tentativo è stato quello di realizzare con questa costruzione un'architettura essenziale, che vuole essere immagine di ciò che i fedeli, nella loro memoria storica, si aspettano che possa essere il tempio in cui avviene in maniera eminente la Comunione con Dio, ove la percezione di pur vaghe forme neoromaniche venisse ad essere assorbita e superata dalla risoluzione delle facciate con geometrica eleganza e semplicità lineare. Ho scelto poi il mattone a faccia vista e il travertino come materiali dei prospetti esterni proprio per questa loro immagine di consuetudine e familiarità e nel rispetto delle tradizioni, essendo infatti due tipici materiali delle costruzioni nella città di Roma. Lo sguardo viene catturato dal cromatismo della Pala d'Altare che al centro viene presieduta dal Tabernacolo. Codesta soluzione pur essendo poco usuale in Italia, è però abbastanza comune in gran parte della Spagna e specialmente in Aragona, paese d'origine del Beato Escrivà.

and to put into evidence a characteristic esthetic of familiarity for all of the inhabitants of the quarter who would join the new ecclesiastical community. To look to our past, therefore, in search of those indispensable teachings which permit us to re-work them from a more modern point of view, closer to that of the present time. For this reason I attempted to create, with this building, an essential architecture which would be the image of that which the faithful, in their historic memory, expect of the church in which the communion with God takes place in an eminent manner, where the perception of pure neoromanesque forms is absorbed and superseded by the decisiveness of the facade with geometric elegance and linear simplicity. I then chose open faced bricks and travertine as materials for the external views precisely for their familiar image and with respect for tradition, these being, in fact, two materials much used in buildings in the city of Rome. The eyes are drawn to the chromatism of the Altar-piece which is the center of the Tabernacle. This solution, although it is not common in Italy, is, however, quite common in large part of Spain and especially in Aragona, the birthplace of Blessed Escrivà.

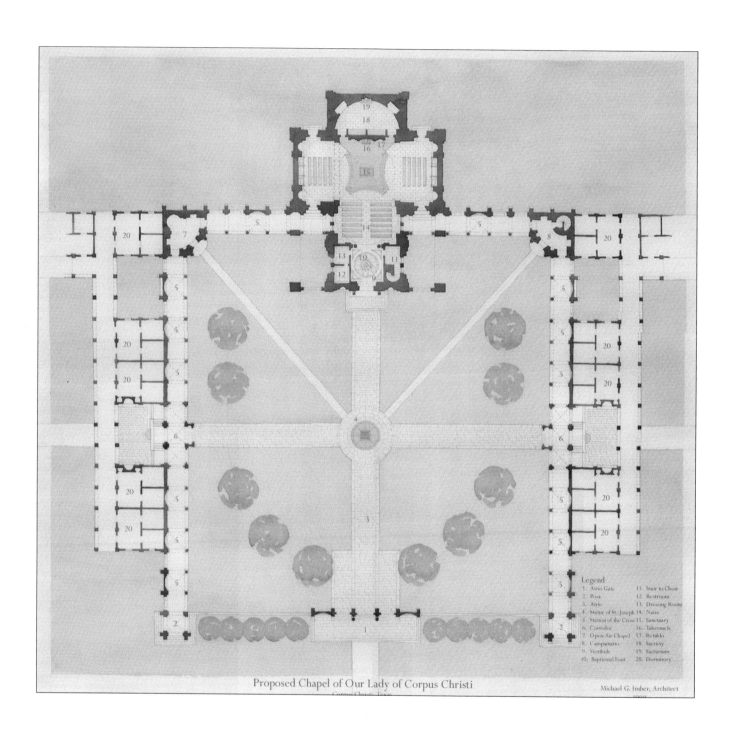

Proposed Chapel of Our Lady of Corpus Christi
Corpus Christi, Texas

Michael G. Imber, Architect
1999

Legend
1. Atrio Gate
2. Posa
3. Atrio
4. Statue of St. Joseph
5. Station of the Cross
6. Corridor
7. Open-Air Chapel
8. Campanario
9. Vestibule
10. Baptismal Font
11. Stair to Choir
12. Restroom
13. Dressing Room
14. Nave
15. Sanctuary
16. Tabernacle
17. Retablo
18. Sacristy
19. Sacrarium
20. Dormitory

Proposed Chapel of Our Lady of Corpus Christi
Corpus Christi, Texas
1999

Michael G. IMBER

Cappella di Nostra Signora del Corpus Christi/*Our Lady of Corpus Christi Chapel*
S. Antonio, Texas - USA
1999

Collocata in una baia scoperta nel 1528 dall'esploratore spagnolo Panfilo de Narvaez, oggi la città costiera texana del Corpo di Cristo è diventata un vibrante centro economico e sociale del sud del Texas. All'interno della città, il progetto della Cappella di Nostra Signora del Corpus Christi fornirà una visione per il futuro del College di nostra Signora del Corpo di Cristo, attingendo alle forti radici storiche, culturali e religiose della regione. Dal momento che l'eredità delle influenze Spagnola e Messicana sulla chiesa e sull'architettura religiosa ha giocato un ruolo durevole nello sviluppo dei nuovi archetipi nelle Americhe, questa cappella intende ristabilire l'importanza della cultura e della chiesa Cattolica nel sud del Texas. Il progetto della cappella dell'adorazione è basato sulle interpretazioni delle tradizioni di architettura religiosa ispano-americana e sui suoi precedenti storici. Nella tradizione delle missioni spagnole e messicane e delle chiese nelle Americhe, la corte e la sua architettura di servizio erano un vero nuovo archetipo, senza paralleli in Spagna e in Europa. L'accesso, fiancheggiato da entrambe le parti da *Posas* angolari (edifici simili a cappelle che fungono da entrate secondarie all'*Atrio*), si ancora ai corridoi arcati che definiscono i due lati della corte. Dentro le campate dei *corredors*, le nicchie rimarcano le quattordici stazioni della Croce rinforzando la funzione rituale dell'*atrio*. Altri due edifici formano i rimanenti angoli dell'atrio: una cappella aperta e il *Campainario*, entrambi unici nel design delle chiese nelle Americhe. Il *Campainario*, distinto dal campanile o dalla torre campanaria, è un muro con aperture per le campane, in questo caso dentro una struttura che rispecchia la cappella aperta. Il muro *espadana*, un ornamentale falso fronte, permette alla facciata di sembrare più importante del profilo dei tetti ed è sottolineato dall'ornamentale pietra *retabla* dell'entrata. I *retabla* riprendono le forme dal Rinascimento, dai portali Platereschi e dai Moreschi *alfis*, facciate del Sud della Spagna.

Located on a bay discovered in 1528 by the Spanish explorer Panfilo De Narvaez, the present day Texas coastal city of Corpus Christi has grown into a vibrant economic and social center in South Texas. Within this city, the proposed Chapel of Our Lady of Corpus Christi will provide a vision for the future of the College of Our Lady of Corpus Christi, while drawing on the strong historical, cultural and religious architectural roots of the region. As the heritage of the Spanish and Mexican influences on church and religious architecture has played a lasting role in the development of new archetypes in the Americas, this chapel is meant to re-establish the importance of culture and the Catholic church in South Texas. The design of this chapel of perpetual adoration is based upon interpretations of the unique traditions of Spanish-American religious architecture and its historical precedents. In the tradition of Spanish and Mexican missions and churches in the Americas, this formal forecourt and its auxiliary architecture was a truly new archetype, with no parallel in Spain or Europe. The gateway is flanked on both sides by corner Posas (chapel-like buildings acting as secondary entries to the Atrio) and anchors to the arcaded corridors defining two sides of the court. Within the bays of the corredors, niches mark the fourteen Stations of the Cross reinforcing the ritual of the atrio. Two other buildings form the remaining corners of the atrio: an open-air chapel and the Campainario, both unique to church design in the Americas. The Campainario, distinct from a campanile or bell tower, is a wall with pierced openings for the bells, in this case, within a structure that mirrors the open-air chapel. The espadana wall, an ornamental false front, allowing the facade to seem more imposing than its true roofline, is punctuated by the ornamental stone retabla entry. The retabla forms are drawn from the Renaissance and Platseresque portals and Moorish alfis facades in southern Spain.

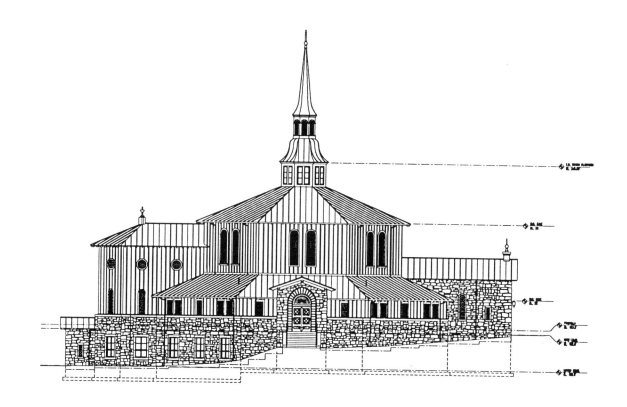

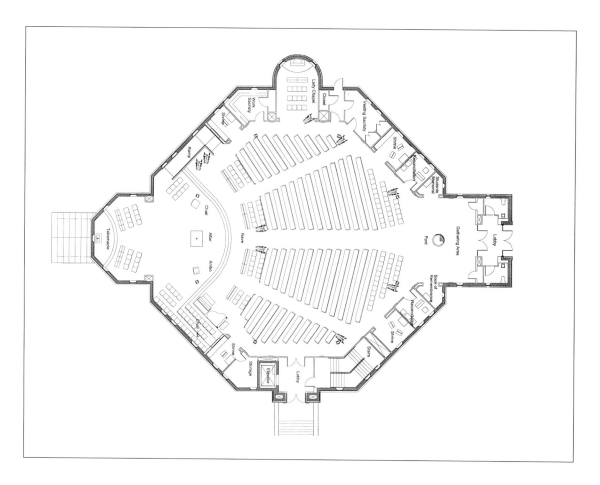

KEEFE Associates

Cappella del College di Providence/*Providence College Chapel*
Providence, Rhode Islands - USA
in costruzione/*under construction*

L'Ordine Domenicano dei Predicatori fondò il College di Providence su richiesta del Vescovo di Providence nel 1917. Attualmente sono circa 3600 gli iscritti, tra uomini e donne, alla scuola umanistica che scelgono di andare in questo campus di 42 ettari situato in un quartiere residenziale della città di Providence. Tutte e tre le cappelle esistenti al College sono state incorporate nella struttura del campus. Il desiderio di creare uno specifico centro spirituale per il College, ha portato a questo progetto elaborato da Keefe Associates. La nuova Cappella sorgerà in un'area prominente che adesso è occupata da una grande collina artificiale e da una grotta. Tale grotta sarà ricostruita in una forma più compatta di fronte all'ingresso principale della Cappella ed unita attraverso un cortile pavimentato. L'esterno della Cappella si rifà all'antica tradizione delle costruzioni in pietra delle Rhode Island. Gli specifici elementi stilistici derivano da due ville in pietra di età vittoriana situate non distanti dall'area del campus del College; sia le case che la nuova Cappella condividono un linguaggio stilistico fatto di ampi tetti, alte torri, archi scolpiti e muri in pietrisco di rivestimento. Altre ispirazioni derivano dalla chiesa ottagonale bizantina di S. Vitale in Ravenna, dalla Rotonda di S. Maria degli Angeli a Firenze del Brunelleschi, dai compatti fienili di Hancock, nel Massachusetts, e dall'austera cappella in pietra e legno disegnata per la Portsmouth Abbey School, dei monaci Benedettini, da Pietro Belluschi, non molto distante dalla Baia di Narragansett. Un'alta guglia rivestita di rame si eleva sopra il tamburo della Cappella; essa porta una croce dorata che sarà così visibile da ogni luogo del campus. Per le Messe domenicali, il corpo principale della Cappella ospiterà seduti 465 tra studenti e professori e 44 coristi.

The Dominican Order of Preachers founded Providence College at the request of the Bishop of Providence in 1917. Today, enrollment at the four-year Catholic liberal arts college stands at approximately 3,600 men and women, who enjoy the amenities of a 105-acre tree-lined campus located in a residential neighborhood of the city of Providence. All three existing chapels at Providence College are incorporated within larger campus structures. A desire to create a distinct spiritual center for the college, has led to the illustrated design currently under development by Keefe Associates. The new Chapel will occupy a prominent site now covered by a large artificial hill and grotto. The grotto will be reconstructed in more compact form facing the Chapel's main entry across a paved forecourt. The exterior of the Chapel is firmly rooted in the Rhode Island's long tradition of stone building. Specific stylistic elements arise from two mid-Victorian stone villas located nearby on the Providence College campus; both houses and the new Chapel share a vocabulary of broad, low-pitched roofs, high towers, round-headed arches, and dressed rubble masonry walls. Additional design inspiration came from the octagonal Byzantine church of S. Vitale in Ravenna, Brunelleschi's Rotunda of Santa Maria degli Angeli in Florence, the Shaker round barn in Hancock, Massachusetts, and architect Pietro Belluschi's austere stone and timber chapel for the Benedictine-run Portsmouth Abbey School, not many miles distant across Narragansett Bay. Soaring atop the board-and-batten clerestory of the Chapel is a tall copper spire capped with a gilded cross which will be visible from much of the campus. For weekend Masses, the main body of the proposed Chapel will seat 465 students and faculty, plus a 44-person choir.

KEEFE Associates

Chiesa di S. Teresa/*St. Therese Church*
Serborn, Massachusetts - USA
1993

Il sito di questa chiesa di 300 posti è una cittadina a sudovest di Boston, nel Massachusetts. Gli edifici intorno, sia pubblici che privati, datati dal XVIII al XX secolo, sono principalmente costituiti da strutture in legno locale di stile Neoclassico. La nuova Chiesa di S.Teresa è stata progettata nella più chiara tradizione delle chiese lignee dei villaggi del New England per rispettare tale contesto storico, ma soprattutto per andare incontro alle maggiori esigenze moderne e in proporzione al modesto bilancio di una nascente parrocchia Cattolica Romana. Il progetto dell'edificio comprende uno spazio di adorazione, un salone per le attività sociali, alcune classi per il catechismo, uffici parrocchiali e la residenza per il parroco. Il progetto e l'estensione dell'edificio sono predisposti per mantenere separati spazi pubblici, semi-pubblici e privati all'interno di un intero complesso. Il principale spazio d'adorazione, le aree per le riunioni sociali e il campanile dominano la facciata dell'edificio, mentre gli uffici amministrativi e le stanze del parroco occupano un volume simile ad una casa nel retro riparata da un fitto bosco. I parrocchiani entrano da un giardino delimitato da un muro di pietre, passano in uno spazio interno incentrato sul Fonte Battesimale e da lì nella navata della chiesa. La struttura lignea del tetto dà calore a tutto lo spazio e vuole evocare l'interno di una barca rovesciata o dell'Arca.

L'interno, nel suo complesso, è semplice, luminoso, confortevole ed intimo.

The site of this new 300-seat church is a country town southwest of Boston, Massachusetts. Surrounding buildings, both public and private, date from the late 18th to mid-20th century and are mainly constructed in a simple wood-frame vernacular Neoclassical style. The new St. Theresa's was designed in the tradition of straighforward wooden New England village churches to respect this historic context while nonetheless meeting the extensive modern needs and proportionally modest budget of a growing Roman Catholic parish. The building program combined a worship space, a social hall, religious education classrooms, parish offices, and a residence for the pastor. The plan and massing of the building are arranged to maintain appropriate separation of public, semi-public, and private spaces within a unified whole. The main worship space, social gathering areas, and bell tower dominate the public face of the building, while parish administrative offices and the pastor's quarters occupy an attached houselike volume at the back of the site, sheltered by dense woodland. Parishioners enter through a stone-walled garden, pass into an interior gathering space centered on the Font, and then into the nave of the church itself. The exposed laminated timber frame roof gives warmth to the worship space and is intended to evoke the inside of an upturned wooden boat or ark.

The interior as a whole is intended to be simple, bright, comfortable, and intimate.

KEEFE Associates

Chiesa di S. Raffaele/*St. Raphael Church*
West Medford, Massachusetts - USA
1993

Fondata nel 1905, la parrocchia cattolica di S. Raffaele serve principalmente una popolazione d'italiani e d'irlandesi d'America in un sobborgo di Boston. La nuova Chiesa è stata costruita per sostituire una struttura precedente sullo stesso sito, distrutta da un incendio nel 1990, proprio nel momento in cui si stavano prevedendo dei consistenti lavori di ammodernamento. Il nuovo edificio è inserito in un attivo distretto commerciale e si pone in una posizione focale tra gruppi stilisticamente diversi di altri edifici parrocchiali, includenti una sala parrocchiale in stile Missione spagnola, una scuola del dopoguerra, un convento in mattoni dei primi del Novecento ed il rettorato. La nuova chiesa annuncia la supremazia sul sito e sulla vita della comunità parrocchiale attraverso l'uso, in facciata, di granito di Weymouth con pietre calcaree dell'Indiana, ordinate, materiali più nobili e durevoli di quelli usati in alcuni degli edifici sussidiari. Allo stesso modo, lo stucco del lanternino e il pesante timpano dei portici si armonizzano con i materiali e i dettagli della vicina sala parrocchiale. L'aspetto dominante della nuova chiesa è un campanile modellato su quello della chiesa di Santa Eufemia a Grado, del VI secolo, preferito sia dagli architetti sia dal parroco, come a significare la comunione tra l'origine italiana dei fondatori della parrocchia e gran parte dell'attuale assemblea.

Founded in 1905, the Roman Catholic parish of St. Raphael serves a predominantly Italian and Irish-American population in an established inner suburb of Boston. The new church was built to replace an earlier structure on the same site destroyed by a fire in 1990, just at the moment when significant renovations were being contemplated. The new church building had to fit into a confined plot at the edge of a busy commercial district and provide a strong focus amid a stylistically diverse grouping of other parish buildings, including a Spanish Mission style parish hall, a bland postwar school, and an early 20th century brick convent and rectory. The new church announces its primacy on the site and in the life of the parish by its use of Weymouth seam-face granite with buff Indiana limestone trim, more noble and enduring materials than those used in any the subsidiary buildings. By the same token, the stucco clerestory and heavy timber porches work to harmonize with the materials and detailing of the closely associated parish hall. The dominant exterior feature of the new church is a campanile modelled on that of the 6th century church of S. Eufemia in Grado, a particular favorite of both the architects and the Pastor, as well as a signifier of the Italian ancestry of the parish founders and much of the present congregation.

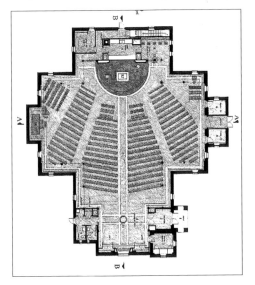

All'interno, ricche finestre colorate diffondono una calda luce blu-violetto. Le vetrate originali, appartenenti alla cappella di S. Rita e salvate dal fuoco che distrusse la vecchia chiesa, sono state restaurate e riutilzzate nella navata e negli oculi del transetto. I leggeri fasci di luce colorata, passando attraverso queste finestre, spostandosi con il trascorrere del tempo, possono rappresentare l'elemento capace di rendere un'atmosfera di silenzio a colui che prega. I due arredi sacramentali, l'Altare e il Fonte, sono allineati sull'asse maggiore dell'edificio e hanno dettagli classici realizzati in marmo Botticino color crema. Il Fonte è la chiave spaziale di un'ampia area di raccolta dei fedeli presso l'estremità est dell'edificio, salutando chi giunge con il suo simbolismo d'ingresso alla Chiesa, custodendo l'acqua battesimale e permettendo il rito dell'immersione dei neonati e degli adulti. Il Tabernacolo bronzeo recuperato dalla vecchia chiesa e restaurato, è collocato in una nuova Casa Sacramentale in oro e legno di quercia, i cui dettagli architettonici s'ispirano alle chiese veneziane del primo Rinascimento. La Casa Sacramentale è al centro di uno schermo che divide il santuario principale dalla piccola cappella Eucaristica per le preghiere individuali e per le veglie. Disponendo la Casa Sacramentale al lato della Predella, tra la cappella e il transetto della chiesa principale, si permette una nitida visione del Tabernacolo a coloro che entrano (con l'implicito ricordare che esso è luogo Santo) senza competere visivamente, durante lo svolgimento della Messa, con il primato dell'Altare. Il transetto a Nord è dedicato principalmente alla musica. Un organo del XIX secolo, salvato da un'altra chiesa, riempie una nicchia alla fine del transetto. Lo spazio sopraelevato e le superfici di maiolica, legno e intonaco, contribuiscono ad amplificare ed arricchire il suono che raramente si trova nelle chiese moderne acusticamente "morte", eccessivamente ricoperte di pannelli acustici e panche imbottite. Tale risonanza aiuta a infondere coraggio ai cantori più timidi perché partecipino alle canzoni liturgiche. La nuova chiesa di S. Raffaele rappresenta un tentativo di aiuto per la moderna Comunità di culto in luoghi che trovano ispirazione e significato del Mistero Sacramentale nei primi monumenti della Chiesa.

Rich stained glass suffuses the space with a warm blue-violet glow. Historic glass, from a chapel dedicated to St. Rita spared in the fire that destroyed the old church, was salvaged and restored for use in the aisle windows and oculi in the transepts. The quiet flicker of softly colored light passing through these windows, shifting over the course of a day, may well be the most powerful element in setting a hushed and comforting mood for prayer. The key sacramental furnishings, Altar and Font, stand on the major axis of the building and have elemental Classical details executed in creamy Botticino marble. The Font is the key feature of a spacious Gathering Area at the west end of the building, greeting all arrivals with its symbolism of entry into the Church, holding holy water for blessings, and allowing both infant baptism by submersion and adult baptism by immersion. The restored bronze Tabernacle from the old church has been set in a new Sacrament House of gilt and varnished oak, the architectonic details of which draw inspiration from Venetian churches of the early Renaissance. The Sacrament House stands at the center of a screen dividing the main sanctuary from a small Chapel of Reservation set aside for individual prayer and vigils. Placing the Sacrament House to one side of the Predella, astride both the chapel and the transept of the main church, allows for clear visibility of the Tabernacle to all who enter (with the implied reminder that this is a holy place) without competing visually with the primacy of the Altar during Mass. The north transept is dedicated mainly to music. A restored 19th century pipe organ salvaged from another church fills an alcove in the end wall of the transept. The lofty space and resonant surfaces of tile, wood, and plaster contribute to an amplitude and richness of sound seldom found in acoustically "dead" new churches excessively padded with wall-to-wall carpet, acoustic tile, and upholstered seats. This resonance helps encourage even the most timid singers to participate fully in liturgical song. The new St. Raphael Church endeavors to support modern community worship in a setting that draws inspiration from and bases its sense of sacramental mystery upon the earliest monuments of the Church.

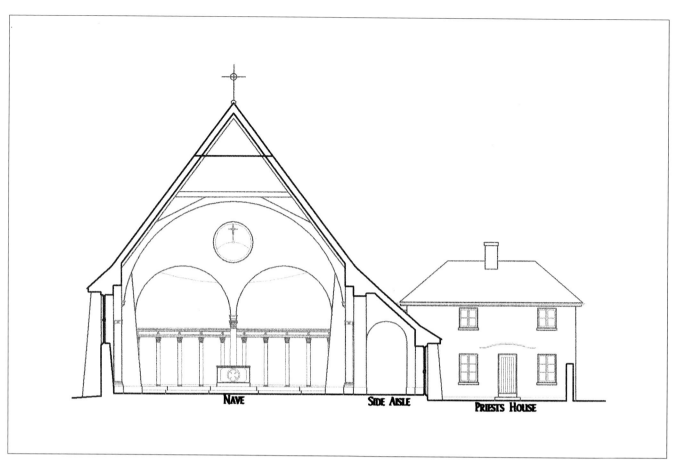

Nave   Side Aisle   Priests House

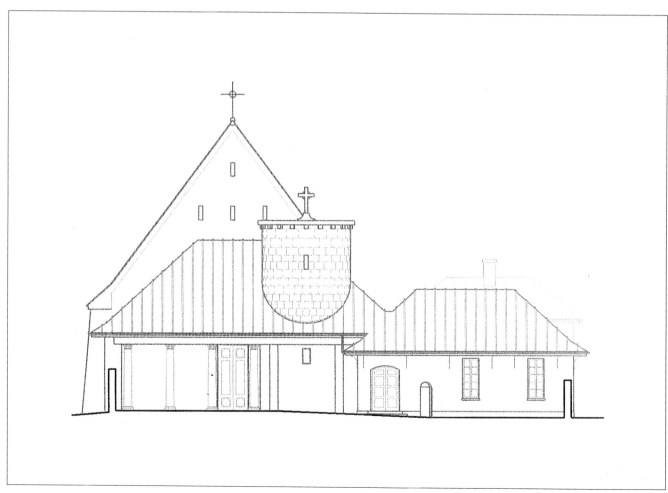

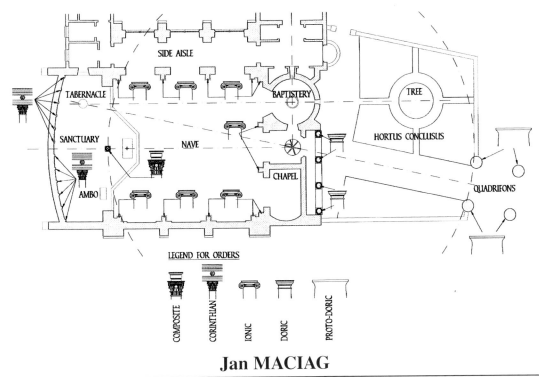

Jan MACIAG

Una chiesa in periferia/*A suburban church*
Peterborough - USA
1999

La scelta di progettare una nuova chiesa in un'area periferica intende esplorare i significati attraverso i quali l'edificio può acquistare la qualità di *mystica significatio* in un ambiente inadatto. Essa è situata in una periferia senza storia, significati o limiti precisi e riceverà ogni significato solo dalla sua stessa architettura e dal servire una comunità similmente abbandonata in tale luogo deserto. La chiesa è impostata attorno ad un asse alle cui estremità stanno il Sacro ed il mondo profano. La sua struttura geometrica sottesa è un incrocio dei principali assi all'ingresso, dove è il Battistero, secondo una composizione perpendicolare che rappresenta la relazione tra Dio e l'Uomo. In questo punto l'asse principale è deviato e il cambio di direzione simboleggia il cambiamento determinato dal Battesimo Cristiano. All'estremità occidentale è situata una *Quadrifona* romana. Essa è usata nel significato antico di elemento urbano. Le funzioni sono di porta d'accesso o ponte verso il Sacro. Lo stile dorico cui è conformato è grezzo e senza arricchimento di sorta. Il percorso processionale continua nel giardino o *Hortus Conclusus*, simbolo della Vergine Maria. Entrambi rappresentano la via a Dio. In questo giardino c'è un albero con quattro rami, che simboleggiano i 4 fiumi e l'Albero della Conoscenza. L'Albero è piantato lungo un asse secondario che parte da esso, attraversa il Battistero verso il compimento della profezia dell'Antico Testamento, fino al Tabernacolo nel Santuario. L'ingresso all'edificio è inquadrato da una fila di 4 colonne in stile Dorico romano. Esse rappresentano l'umanità purificata e pronta a ricevere Dio. La preparazione è completata nell'area che contiene il Battistero, i confessionali e l'Aula. Questi sono gli aspetti della fede relativi alla purificazione e al lavoro secolare, e simboleggiano la presenza di Dio nella vita umana e l'Incarnazione di Cristo. La Navata quadrata è circondata da 12 pilastri di ordine Ionico. Navata deriva dal latino *navis*, nave, ed è lo spazio riservato, come nel vascello, agli eletti. Dietro l'Altare, a dominare la navata, una colonna in stile composito rappresenta la Vittoria di Cristo. E' la colonna universale della Redenzione della quale tutta la Chiesa fa esperienza. Lungo il muro del Tempio e su ogni lato della singola colonna ci sono 12 pilastri Corinzi. Rappresentano gli Apostoli alla Pentecoste. Altri elementi sono il Battistero, il salone e la canonica.

The challenge of designing a new church in a "suburb" is meant to explore the means by which such a building might achieve the quality of mystica significatio *in the midst of inauspicious surroundings. It is located in the midst of a suburbia that is without history, meaning or definition it will only have meaning from its own architecture and serves a congregation similarly marooned. The church is arranged traditionally around an axis with the profane world at one end and the Sacred at the other. The unseen armature of its geometrical arrangement is a crossing of the principal axis at the entrance at the Baptistery with a perpendicular composition representing the interface of God and Man. The principal axis is refracted at that point and the change of direction symbolizes the changes that accompany Christian Baptism. At the far West end is a Roman* Quadrifons. *This is used in its ancient sense as an urban marker. Its functions also as a gateway or a passage towards the sacred world. Its Doric order is crude and without enrichment. The processional route continues into the transitionary space of the garden or Hortus Conclusus as a symbol of the Virgin Mary. It and she are the way to God. In this garden is a tree with four radiating arms symbolizing 4 rivers and the Tree of Knowledge. The tree isset on a further secondary axis which runs from it, through the Baptistery to the fulfillment of Old Testament prophesy at the Tabernacle in the Sanctuary. The entrance to the church is framed by a row of 4 correctly proportioned Roman Doric columns. They represent a purified mankind ready to receive God. The preparation is completed within an area containing the Baptistery, Confessionals and the Church Hall. These are aspects of the faith relating to purification and secular work and symbolize God's presence within human life and the incarnation of Christ. The nave is square in plan and is surrounded by 12 Ionic piers. Nave comes from the Latin* navis, *a ship, and this is a space reserved as the vessel for the chosen people. Dominating the nave and behind the altar is a single Composite column symbolizing the victory of Christ. It is the universal column of redemption out of which the whole church grows. Along the Sanctuary wall and to each side of the single column are 12 Corinthian pilasters. They represent the apostles at Pentecost. Other identified elements are the Baptistery, the hall and priests house.*

David MAYERNIK

Affresco di S. Tommaso/*St. Thomas fresco*
Agra, Canton Ticino - Switzerland
1995

La ragione per cui S. Tommaso è ritenuto il santo patrono degli architetti non è ben nota, è apocrifa. La *Leggenda d'Oro* racconta la storia del suo apostolato in India; I missionari del VI e VII secolo raccontarono di avere incontrato i cosiddetti *"Cristiani di San Tommaso"* e la città di San Tome si dice sia il suo luogo di sepoltura. La storia narra che, mentre era in India, un principe chiese a Tommaso di costruire per lui un palazzo *"alla maniera di Roma"*. Quando il principe lo lasciò per intraprendere un viaggio, Tommaso prese i soldi per il palazzo e li distribuì ai poveri; al suo ritorno il principe chiese di vedere il proprio palazzo, ma Tommaso, al contrario, gli disse: *"Ho costruito un palazzo per te in Paradiso"*.

L'affresco sul muro di sostegno della chiesa di San Tommaso ad Agra, rappresenta il santo e una visione della città celeste; è questa visione che lo sostiene e lo ispira. L'allegoria rappresentata da questo affresco opera a vari livelli. La tavola nella lunetta, inondata di una calda e soffusa luce emanata dal sole dipinto, si relaziona ai colori delle facciate dell'attuale chiesa soprastante e la sua meridiana - quindi la chiesa stessa può essere vista come manifestazione della città celeste, la Nuova Gerusalemme in Terra. L'elaborazione del palazzo costruito in paradiso per il principe in una città paradisiaca (basata su un disegno dell'architetto Thomas Rajkovich per una città ideale) è un chiaro riferimento alla scelta di costruire città nobili; così, come patrono degli architetti, la visione ideale di Tommaso è un modello per l'architetto di oggi - solo continuando a credere in un ideale, sarà ancora possibile opporsi a tutte le forze che cospirano contro la costruzione di un ambiente nobile umano e spirituale. E così la scelta dell'architetto è la scelta del Cristiano - credere nei princìpi, nella fede, in un ideale, in un percorso che, giorno dopo giorno, possa avvicinare alla Civitas Dei.

The reeason for Saint Thomas's role as patron saint of architects is not well known, and is in fact apocryphal. The Golden Legend *recounts the story of his apostleship to India; sixteenth and seventeeth century missionaires reported encountering there so-called* "Christians of Saint Thomas", *and the city of San Tome claims to be his burial place. The story says that, while in India, a prince asked Thomas to build him a palace* "in the Roman manner". *When the prince left on a Journey, Thomas took the money for the palace and distributed it to the poor; when he returned from his travels, the prince asked to see his palace, but Thomas told him instead,* "I have built a palace for you in heaven".

The fresco on the retaining wall supporting the church of San Tommaso, in Agra, Ticino, Switzerland, represents Thomas and a vision of a heavenly city; it is that vision which sustains and inspires the saint. The allegory of the fresco operates on several levels. The palette in the lunette panel, suffused with a warm, pale ligth emanating from the painted sun, refers to the colors of the facade of the actual church above and its sundial - therefore the church itself can be seen as the manifestation of the heavenly city, the New Jerusalem, on heart. The elaboration of the palace built in heaven for the prince into a heavenly city (based on a drawing by architect Thomas Rajkovich for an ideal city) is a specific reference to the challenge of building noble cities in our time; and so, as patron of architects, Thomas' vision of the ideal is a model for the architect today - only by holding on to a vision of the ideal it is possible to withstand all the forces which conspired against building noble, humane, and spiritual environments. And so the challenge of the architect stands for the challenge of the Christian - to hold on to the principles, the vision, the faith in the ideal in the day to day ascent toward the Civitas Dei.

D. T. Mayernik Arch.   Pict. Inv. & Del. MCMXCIX

David MAYERNIK

Cappella di S. Mattia/*St. Mattia Chapel***
Montagnola, Canton Ticino - Switzerland
1996**

Questa è una proposta di restyling della cappella di San Mattia nel Comune di Montagnola nel Ticino. La cappella esistente, eretta all'inizio di questo secolo al posto di un'elegante cappella del XVIII secolo, distrutta quando venne ampliata la Via Collina d'Oro, è uno sfortunato contenitore per i misteri sacramentali che vengono celebrati al suo interno. Questo progetto esplora le potenzialità che, all'interno del nuovo Rinascimento, ha il linguaggio architettonico umanistico e classico che deve essere retorico, ossia, deve esortare e convincere. L'architettura umanista sviluppò il potenziale espressivo e figurativo all'interno del linguaggio classico; in molti casi infatti, furono gli architetti del Ticino che lavoravano a Roma presso la famiglia Fontana, Carlo Maderno e Borromini, che trovarono, all'interno del classico, l'abilità di articolare una profonda fede e un desiderio di spiritualità. E' proprio la mancanza di tale capacità ciò di cui soffre questa cappella, così come molte architetture moderne. Il recente ritorno, da parte di molti architetti internazionali, ai princìpi della classicità, nell'architettura come nell'urbanistica, permette all'architettura liturgica di recuperare una dimensione sacra. Il rinnovato interesse per l'impiego degli ordini classici nella forma più espressiva ed esuberante, insieme ad un programma iconografico possibile solo attraverso l'arte figurativa, permette all'architettura di parlare a tutti nostri bisogni e di riaffermare il ruolo della Chiesa come potente icona nel paesaggio urbano.

La cappella oggi

This is a conjectural project to re-face the existing chapel of S. Mattia in the Comune of Montagnola, Ticino, Switzerland. The existing chapel, erected earlier this century in part to replace an elegant 18th century chapel destroyed when the via Collina d'Oro was widened, is an unfortunately nondescript container for the sacramental mysteries that take place within. This drawing explores the potential within the new renaissance of the classical, humanist language of architecture to be rhetorical, that is, to explain, exhort and convince. The architecture of Humanism developed the figurative, expressive potential within the classical language; in many cases in fact it was the architects of Ticino working in Rome, the Fontana Family, Carlo Maderno, and Borromini, who found within the classical syntax the ability to articulate a deeply-felt faith and spiritual longing. It is precisely the lack of this sense of being able to concretize the spiritual from wich this existing chapel, and most of modern architecture, suffers. The recent return of many international architects to classical principles in architecture and urban design affords the possibility to reinvest ecclesiastical architecture with the sacred dimension it has lost. The employment again of the classical orders in their most plastic, exuberant form, in conjunction with an iconografic program only possible with figurative art, allows the architecture to speak to our need for both reason and rapture, and reaffirms the church's role as a powerful icon on the landscape.

The chapel today

Ettore Maria MAZZOLA

Concorso per il Belvedere del Millennio/*Millennium Belvedere Competition*
Poundbury, Dorchester - United Kingdom
1996

Il progetto risponde alle richieste degli organizzatori, dunque sulla espressione della simbologia cristiana (2000° anniversario della nascita di Cristo) e della simbologia del luogo (battaglia di Maiden Castle, Ducato di Cornovaglia, Dorset, ecc.). La struttura concentrica è metafora del Cosmo e indica il percorso salvifico dell'anima. La numerologia, per la quale ad ogni numero e figura geometrica corrispondono un simbolo e una lettera dell'alfabeto, è dottrina antica che si ritrova, come espressione dell'armonia universale, sia nella tradizione ebraica, sia in quella orfico-pitagorica e neoplatonica. Così, nel progetto, può leggersi il monogramma di Gesù Cristo, nelle lettere X e I dell'alfabeto greco, disegnate dagli assi ortogonali e diagonali della pianta. Al nome di Cristo allude il numero 8 (la forma ottagonale del belvedere, la pavimentazione, le aperture; inoltre, unendo tra loro i punti salienti della pianta, si ottengono figure semplici o complesse, dalla croce alla stella a otto punte, ritenute forme della geometria celeste). Per quanto attiene infatti alla richiesta di "simboleggiare" il 2000° anniversario della nascita di Gesù, si è ritenuto che la metafora simbolica fosse più appropriata della rappresentazione, poiché quest'ultima è da ritenersi più idonea ad una chiesa che ad un monumento "non religioso" quale sarà il belvedere. L'aspetto della muratura dovrà essere scarno, ispirato ad un rudere "romano", simbolo della invasione romana e della battaglia di Maiden Castle, tale trattamento delle superfici e delle forme, inoltre, meglio si addice al territorio ove dovrà sorgere; la nuova Poundbury infatti non ha particolari decorazioni, raramente mostra colonne o trabeazioni, sembra essere nata spontaneamente dall'inventiva della gente comune; probabilmente essa è potenzialmente più vicina agli ideali Ruskiniani che non a quelli del Neoclassicismo inglese, dunque il "rudere" sarà il giusto monumento. Saranno realizzati affreschi sulle pareti della struttura centrale e sulle superfici piene della struttura esterna, con immagini a "trompe l'oeil" raffiguranti la storia di Maiden Castle e Poundbury, allo stesso modo della parete centrale della Casa del Bracciale d'oro di Pompei o della Villa di Livia a Roma. Questo aspetto "bucolico" delle pareti, farà sì che il visitatore si senta in uno spazio aperto e non confinato, vivendo nello stesso momento la realtà ed il passato. Il centro dell'edificio ospiterà una fontana ottagonale, essa simboleggerà la purificazione dello spirito e la nascita di Gesù Cristo.

The project wants answer to the organisers' requests, therefore on the expression of Christian's symbology (2000th years from Christ's birth) and of the place itself's symbology (Maiden Castle battle, Duchy of Cornowall, Dorset, as soon). The concentric structure is a metaphor of cosmos and means the way to the salvation of the soul. The science of numbers, according which every number and every geometrical figure stands for a symbol and for a letter of alphabet, is an ancient doctrine that we can find (as an expression of universe's harmony) both in the Jewish and Orphean-Pythagorean (and Neoplatonic) tradition. Thus we can read the monogram of Jesus Christ in the project, in "X" and "I" letters of Greek alphabet, drawn by the orthogonal and diagonal axes of the plan. Number eight, "8", alludes to the name of Christ (the octagonal shape of belvedere, the paving, the openings; besides, if we join together the salient points of the plan we obtain simple or complex figures, from cross to eight points star, thought to be celestial geometry's shapes). As regards the request to "symbolise" 2000 years from Christ birth's anniversary, indeed, we have thought that the symbolic metaphor was more appropriate than a representation could have been, because this one is more suitable for a church, which is a religious monument, than for a "non-religious monument" like belvedere will be. The walls will look bare, inspired to a "Roman" ruin, symbolising the Roman invasion and Maiden Castle battle: this kind of surface and shape treatment will also suit very well with the territory in which the building will rise. The new Poundbury has no particular decoration, as matter of fact, and it rarely shows columns or trabeations, it seem to be born spontaneously from inventiveness of common people; maybe it is potentially closer to Rusknians' ideals than to English neo-Classicism's ideals, so the "ruin" will be right monument. Frescos will be realised on the walls of central structure and on the level surfaces of external structure: the images, realised with "trompe l'oeil" technique, will represent the history of Maiden Castle and Poundbury, just like the central wall in the Casa del bracciale d'oro in Pompei or in the Villa di Livia in Roma. This "bucolic" aspect of the walls, will let the visitors feel in an open space, not in a limited space, while living present reality and the past at the same time. The centre of the building will hold an octagonal fountain, which will symbolise the purification of the spirit and the birth of Christ.

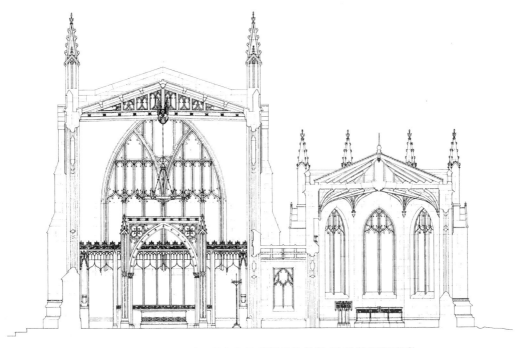

Duncan MC CALLUM MC ROBERTS

Chiesa e Battistero/*Hall Church and Baptistery*
Portland, Oregon - USA
1999

Questa cappella gotica ed il battistero sono stati disegnati per la Comunità cattolica di Portland, in Oregon. La cappella intende accogliere circa 250 persone comodamente disposte. Lo scopo è stato quello di creare uno spazio sacro che ispirasse un unico senso di grazia, attraverso forme simboliche proporzionate - un'estetica con un senso di rispetto per l'ambiente naturale attraverso l'uso di materiali naturali che sono drammaticamente illuminati da temi sacri, e da finestre delicatamente decorate a mosaico. Sopra l'ingresso principale è presente un vano per organo ed un piccolo coro. Opposto all'entrata, un ciborio rimarca la presenza dell'altare all'incrocio dei bracci, accentuato sopra da capriate policrome. Infine, un battistero ottagonale simboleggia i sette giorni della creazione - con l'ottavo lato, cioè la porta che conduce nella cappella, che rappresenta l'ingresso nella fede cattolica attraverso il Sacramento del Battesimo.

This gothic chapel and baptistery was designed for the Catholic Community in Portland, Oregon. It intends to accomodate 250 people comfortably. The purpose has been to create a sacred space that inspires a unique sense of grace through beautifully proportioned symbolic forms - an aesthetic that has a sense of reverence for its natural surroundings - and by an array of permanent hand hewn natural materials which are dramatically lit by thematically sacred, delicately tessellated stained glass windows. There is room for an organ and small choir above the main entrance. While opposite the entry, a ciborium demarcates the presence of the altar at the crossing, accentuated above by polychromatic trusses. Finally, the eight-sided baptistery symbolizes the seven days of creation - with the eighth side being the door both into the chapel and entry into the catholic faith through the Sacrament of Baptism.

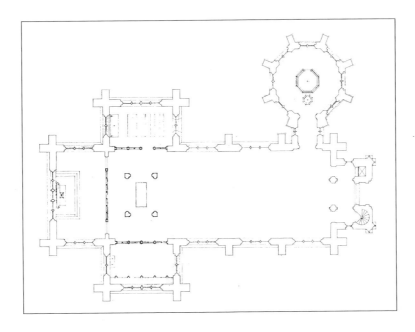

Vasile MUTU

Vetrate per la nuova Chiesa Parrocchiale S. Agata di Bronte/*Stained glasses for the Parish Church of S. Agata of Bronte*
Bronte, Messina - Italia
1997

L'arte Sacra è concepita come subordinazione delle possibilità espressive dell'arte decorativa e monumentale alle esigenze liturgiche, destinata a completare ed ad armonizzarsi con la struttura architettonica e a corrispondere all'importanza storica ed artistica delle chiese. Una predilezione per l'arte bizantina risponde alle esigenze di creare negli ambienti di culto raffigurazioni con un elevato contenuto di spiritualità cristiana. Vetrate istoriate, pittura su vari supporti, scultura, sono le forme espressive per rappresentare l'arte sacra.

La vetrata istoriata per la chiesa mette insieme le qualità di luce, trasparenza, colore con le potenzialità degli smalti e delle grisaglie per creare composizioni artistiche in grado di sostenere ed arricchire lo spazio di culto della chiesa. La progettazione di tali opere è molto personalizzata ed è orientata ad unire le esigenze liturgiche con quelle artistiche.

Sacred art, with its expressive possibilities of decorative and monumental Art, is conceived of as subordinate to the liturgical requirements, destined to harmonize with the architectonic structure and to correspond with the historical and artistic importance of churches. A predilection for Byzantine art responds to the need to create, within the areas of worship, figures with a high level of Christian spirituality. Stained glass windows, paintings on the several supports, sculptures, these are the expressive forms for representing Sacred art.

The stained glass window for the church reunites the qualities of light, transparency and colour with the strengths of enamel and grisaille to create artistic compositions capable of supporting and enriching the religious space of the church. Design of works of this sort is personalised and is aimed at marrying the liturgical requirements to the artistic ones.

Helmut Rudolf PEUKER

Nuova chiesa del Sacro Cuore di Gesù/*New church of Holy Heart*
Munchen-Neuhausen - Deutchland
1996

Nel novembre del 1994 la chiesa preesistente fu distrutta da un incendio. Un anno dopo la comunità cattolica di Neuhausen indisse un concorso per una nuova costruzione, a cui presero parte 160 architetti bavaresi.

Che significato può avere una nuova chiesa per noi, oggi?

Il suo compito principale è sempre stato quello di mettere in una relazione essenziale il presente con l'eterno. La nostra visione mira a una sintesi tra una fermezza spirituale ed una guida estetica. Una tale sintesi non si raggiunge continuando a scrivere delle antitesi della storia architettonica. Non sarebbe giusto servirsi del nuovo contro il vecchio, del classicismo contro il modernismo. Proprio la chiesa deve essere un luogo di riconciliazione e non di confronto. Infatti non è tradizione, ma vita. Chi entra nella chiesa riconosce l'unione tra spazio, luce e presenza liturgica, come una promessa di profondità mistica e una protezione atemporale.

In November of 1994 the existing church was destroyed by a fire. A year later the Catholic community of Newhausen established a competition for a new construction in which one hundred and sixty Bavarian architects participated. What can be the meaning of a new church for us, today?

Its principal role is always that of creating and essential relationship between the present and the eternal. Our vision aims at synthesis between spiritual firmness and aesthetic guidance. This synthesis can not be obtained by continuing to write about the contrasts in architectural history. It would not be just to pit the new against the old, the classical against the modern. Precisely because the Church is a place of reconciliation, not of confrontation. In fact, it is not tradition but life. whoever enters into a church recognizes the union of space, light and liturgical presence as a promise of the mystic depths and a protection outside of time.

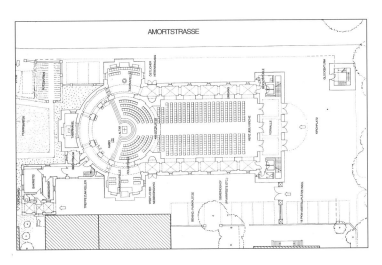

Kevin ROCHE - John DINKELOO & Associates

Chiesa di S. Maria/*St. Mary's Church*
New Haven, Connecticut - USA
1993-94

Dopo avere studiato la chiesa di S. Maria e altre chiese progettate da James Murphy, costruttore di chiese del XIX secolo, gli architetti Kevin Roche, John Dinkeloo & Associates, architetti del 22° piano del Palazzo del Consiglio Supremo dei Cavalieri di Colombo, hanno progettato una guglia sopraelevata in uno stile originale. L'uso delle più recenti tecniche costruttive ha evitato molte lavorazioni in situ. La guglia è stata realizzata in alluminio strutturale e acciaio a Campbellsville, sezionata, trasportata a New Haven e sollevata sul posto con una gru per l'assemblaggio finale. Alta 55 mt dalla massiccia torre della chiesa la guglia neogotica è tra le più alte strutture di New Haven. Con la sua Croce Celtica di 3,35 mt si erge a circa 8,5 mt sopra la città, talmente alta da aver bisogno del lampeggiatore dell'Aviazione Federale sul pinnacolo. Il campanile, la parte superiore della lanterna e la lunga cima della guglia hanno una copertura impermeabile realizzata con 20.000 scaglie di microzinco a forma di diamante. Questa torre campanaria, un'aggiunta celebrativa moderna, visibile da tutte le autostrade statali attorno a New Haven, posa su una base in pietra di 2.600 mq eretta nel 1874.

After studying St. Mary's and other churches planned by James Murphy, 19th century Providence, R.I., church builder, the architectural firm of Kevin Roche, John Dinkeloo and Associates - architects of the 22-story Knights of Columbus Supreme Council building - designed a lofty spire in the original style. Use of the latest construction techniques and materials, however, bypassed much on the spot building. The steeple was fabricated of structural aluminium and steel in Campbellsville, Ky., trucked to New Haven in sections, and lifted into place by derrick for final assembly. Rising 179 feet from the once-stubby tower of the church, the neo-Gothic spire is among New Haven's highest structures. With its 11-foot Celtic cross, it stands 240 feet above the town, high enough to require a Federal Aviation Administration blinker at its pinnacle. The belfry, the "lantern" section above it, and the long tip of the steeple have a weather-proof covering of 20,000 individually riveted, diamond-shaped "shingles" made of microzinic. This steeple, a celebratory modern addition visible from all the interstate highways around New Haven, rests on the 28-foot-square stone base erected in 1874.

Steven SCHLOEDER

Chiesa di S. Teresa/*St. Therese Catholic Church*
Collinsville, Oklahoma - USA
in costruzione/*under construction*

L'edificio sorgerà in un'area parrocchiale di circa 8 ettari che ospita il rettorato, un centro sociale, un'area giochi ed un giardino di preghiera. Data la ristrettezza del budget stanziato per questa piccola comunità agraria, abbiamo lavorato insieme per progettare un edificio compatto, ma allo stesso tempo spazioso, ben articolato ed efficiente. Sebbene il progetto sia radicato nelle forme tradizionali delle chiese Cattoliche, è oltremodo attento alle esigenze di tipo climatico e vernacolare, ed usa materiali, tecnologie ed un programma che si adatta ad una comunità parrocchiale destinata a crescere nel terzo millennio. La pianta si basa su un ottagono, simbolo della Resurrezione, sul quale è impostata la Croce a richiamare la nostra Redenzione. Le dodici colonne che delimitano la navata ed il santuario colloquiano con le dodici fondazioni della Gerusalemme Celeste e con i dodici Apostoli sui quali Cristo costruisce la Sua Chiesa. Un ambulatorio che circonda la navata, servendo sia la distribuzione che gli spazi devozionali privati, porta alla Cappella Eucaristica nell'abside. L'ingresso avviene attraverso un arco trionfale che contiene i confessionali: ricordandoci la necessità di una riconciliazione entrando in chiesa. Ogni elemento dell'edificio va letto come singola forma: l'alta navata centrale con la lanterna, l'abside e le cappelle laterali, il battistero ottagonale, il portale d'ingresso. Così l'edificio acquista l'analogia del Corpo di Cristo, la Gerusalemme Celeste o il Tempio dello Spirito Santo: tutti modelli delle Scritture che ci parlano di parti individuali organizzate in un insieme organico e ci portano a comprendere che tale edificio è proprio una chiesa. La pianta occupa una superficie di circa 700 metri quadrati, ospiterà 400 persone. Il costo previsto è di £ 2.345.000.000 e sarà completata nell'Agosto del 2000.

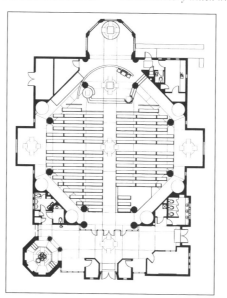

The building will be situated on the parish's 20-acre site which already houses the rectory, social hall, playground, and prayer garden. Given the tight budget constraints for this agrarian community, we worked togheter to design a compact, spacious, well articulated, and efficient building. While the design is rooted in the traditional forms of Catholic church architecture, is still addresses local climatic and vernacular issues, and embraces materials, technologies, and a program suitable for a parish community growimg strongly into the third millennium. The plan is generated from the octagon, a symbol of the Resurrection, over which is laid the Cross to recall our Redemption. The twelve columns that define the nave and sanctuary speak to the twelve foundations of the Heavenly Jerusalem, and the Twelve Apostles upon which Christ builds his Church. An ambulatory which wraps the nave, accomodating both circulation and private devotional spaces, leads to the Eucharistic Chapel in the apse. The entrance is through a triumphal arch which contains the Reconciliation Chapels: reminding us of the need for personal preparation as we enter the church. Each element of the building reads as a distinct form: the higer central nave with the lantern, the apse and side chapels, the octagonal baptistery, and the entry portal. In this way, the building begins to take on the analogy of the Body of Christ, the heavenly Jerusalem, or the Temple of the Holy Spirit: all scriptural models that speaks of individual parts organized into an organic whole, and allow us to understand that this building is indeed a church. The project of 7500 square feet seats 400 persons. The project budget is USD $ 1.3 million, and is scheduled to be completed in August 2000.

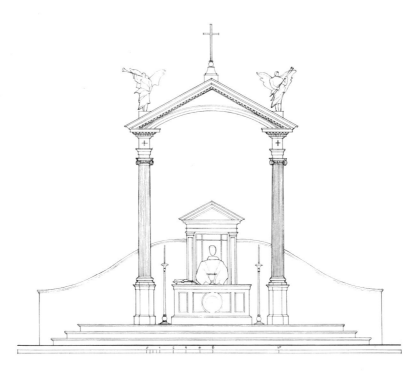

Steven W. SEMES

Nuovo Baldacchino per una Chiesa cattolica/*A new Baldacchino for a Roman Catholic Church*
Eastern Long Island, New York - USA
1999

Il baldacchino è un antico elemento architettonico che può essere appropriatamente riutilizzato. La sua importanza principale è quella di far risaltare l'architettura dell'altare, il quale, in virtù della dimensione ridotta, spesso non risulta il fuoco dell'asse visuale all'interno della Chiesa, come invece dovrebbe essere. Il baldacchino tradizionale prende la forma di un tabernacolo o di un'edicola, per alloggiare e celebrare l'altare al di sotto e dentro esso. Questo esempio è concepito in legno (di mogano rifinito, con elementi decorativi evidenziati in oro) e sintetizza aspetti dell'architettura Americana del periodo Federale (ca. 1790-1820). Le colonne ioniche e le trabeazioni sostengono un frontone il cui timpano è spezzato da un volta a cassettoni poco profonda. Statue di Serafini sormontano i due angoli frontali del timpano: uno soffia una tromba, mentre l'altro tiene con le molle i carboni ardenti per le labbra del Profeta, come descritto in Isaia 6, 6-7. Attraverso l'apertura dell'edicola, i fedeli possono vedere più in là nella cappella del Santissimo Sacramento. Questo progetto è un esercizio di restauro di un linguaggio architettonico appropriato alla liturgia cattolica ed incorpora elementi universali e locali nel pieno rispetto architettonico e teologico.

The baldacchino is an ancient architectural element that can be appropriately revived. Its primary importance is to mark and lend honorific architectural importance to the altar, which, due to its relatively small size, is often not the visual focus of the church interior as it should be. The traditional baldacchino takes the form of a tabernacle or aedicule to house and celebrate the altar below and within it. The present example is conceived in wood (natural finish mahogany with selected decorative elements picked out in gilding) and adapts aspects of the American architecture of the Federal Period (ca. 1790-1820). The Ionic columns and entablatures support a pediment whose tympanum is broken by a shallow coffered vault. Statues of seraphim surmount the two front corners of the pediment: one blows a trumpet while the other holds the tongs containing the hot coal to be pressed to the Prophet's lips, as described in Isaiah 6, 6-7. Through the opening of the aedicule, worshipers may see into the Blessed Sacrament chapel beyond. The project is an exercise in the restoration of an architectural language appropriate to the setting of Catholic worship and incorporates elements that are both universal and local with respect to architectural and theological ideas.

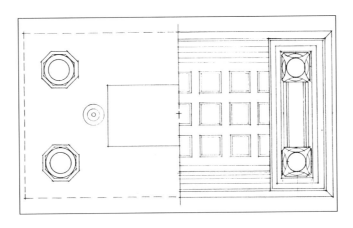

Thomas Gordon SMITH

Seminario di Nostra Signora di Guadalupe/*Seminary of Our Lady of Guadalupe*
Denton, Nebraska - USA
in costruzione/*under construction*

Questo seminario per la Confraternita di San Pietro è in fase di costruzione a Denton, in Nebraska, a dieci miglia ad ovest di Lincoln, la capitale dello Stato. Disegnato per ospitare cento seminaristi e quindici sacerdoti, l'edificio misura circa 9200 metri quadrati. La struttura è situata su colline erbose, disegnate da profonde gole e coperte da colture di cotone, ginepri e carrubi. Le funzioni sono divise nelle componenti essenziali, collegate ad un chiostro interno. Due dormitori circondano il chiostro perpendicolarmente sui lati nord ed est. La parte occidentale è un'ala per l'amministrazione, la biblioteca e le aule che sono collegate al dormitorio dell'ala settentrionale da un padiglione contenente l'aula magna. L'ala meridionale è costituita dal refettorio e dalla cucina collegate alla sacrestia da una scala magna. La struttura è composta da blocchi di calcestruzzo e da solai in latero-cemento. La parte esterna sarà rifinita in mattoni di diversi colori e calcare dell'Indiana. L'aspetto di insieme del seminario ricalca le forme del romanico italiano, in particolar modo gli esempi trovati a Roma e nel Lazio. Ciò è particolarmente evidente nel campanile eretto in prossimità della chiesa. La missione della Confraternita di San Pietro è di mantenere in vita la Liturgia Latina tradizionale. Lo scopo del progetto è sia di provvedere alle necessità funzionali, sia di comunicare la continuità della tradizione Cattolica, fine fondamentale dell'insegnamento e della regola del seminario. L'edificio sarà completato nell'estate del 2000 e successivamente verrà costruita la chiesa.

A Seminary for the Priestly Fraternity of St. Peter is being constructed in Denton, Nebraska, located ten miles west of Lincoln, the capital of the state of Nebraska. Designed to accomodate one-hundred seminarians and fifteen priests, the building measures one-hundred-thousand square feet. The structure is sited on rolling hills covered with prairie grass and defined by deep ravines filled with cottonwood, juniper, and locust trees. The functions are divided into discrete components which link together to enclose a cloister. Two dormitory wings enfold the cloister at a right angle on the north and east sides. Facing west is a wing for administration, library, and classrooms which joins the north dormitory with a pavillion containing the aula magna. Toward the south, the refectory and kitchen are linked to the sacristy by a scala magna. The structure is composed of concrete block and concrete plank floors. The exterior will be finished in several colors of brick and Indiana limestone. The overall appearence of the seminary follows forms of Italian Romanesque paradigms, especially examples found in Rome and Lazio. This is particularly apparent in the free-standing campanile next to the church. The mission of the Priestly Fraternity of St. Peter is to maintain the traditional Latin liturgy. The purpose of the design of the seminary is to both provide for functional needs and to communicate the continuity of Catholic tradition that is the basic purpose of teaching and practice at the seminary. The building will be completed in the summer of 2000 and subsequently the church will be constructed.

Thomas Gordon SMITH

Chiesa di S. Giuseppe/*St. Joseph's Catholic Church*
Dalton, Georgia - USA
in costruzione/*under construction*

E' una nuova chiesa per una comunità parrocchiale in espansione nella città di Dalton in Georgia, otto miglia a Nord di Atlanta. Dalton è la capitale manifatturiera nella produzione dei tappeti. Quella di San Giuseppe era una piccola congregazione cattolica fino a quando si espanse rapidamente con l'influsso di immigrati messicani giunti nel 1980 per lavorare i tappeti. Il santuario ospiterà 500 fedeli. Esso consiste di un largo volume rettangolare coperto da una volta trattata a leggeri settori. Tra i pilastri della struttura si aprono finestre ad arco. L'esterno è in mattoni e pietra in un contenuto disegno classico. I modelli di riferimento si ritrovano nelle chiese romane della Controriforma, come San Gregorio Magno. Era importante che la chiesa esprimesse la sua identità cattolica in una regione a grande tradizione protestante. Inoltre, nella parrocchia, sia i gruppi ispanici sia quelli di tradizione americana hanno risposto positivamente a tale impostazione classica. Per i Messicani, il disegno tradizionale, con i massicci pilastri e le finestre ad arco, trasmette un senso familiare. I nativi di lingua inglese hanno trovato nella struttura un chiaro richiamo a Roma. La chiesa di San Giuseppe sarà terminata nella primavera del 2000. In futuro verranno realizzate una scuola ed una palestra.

A new church for an expanding parish is being built in the town of Dalton, Georgia, eight miles north of Atlanta. Dalton is the manufacturing capital for the carpet industry. St Joseph's was a small Catholic congregation until it began to expand rapidly with an influx of or Mexican immigrants arriving to work in the carpet mills in the 1980's. The sanctuary will accomodate five hundred parishioners. It consists of a large rectangular volume covered with a shallow segmental vault. It is lit with arched windows set between the piers of the structure. The exterior is brick and limestone articulated in a restrained classical design. The models for the design are found in Roman churches of the Counter-Reformation era, such as San Gregorio Magno. It was important that the church express its Catholic identity in a largerly Protestant region of the country. In addition, within the parish, both Anglo and Hispanic cultural groups have responded positively to the restrained Classical design. For the Mexican-Americans, the traditional design, with substantial piers and arched windows, seems comfortably familiar. The native English-speakers like the structure's clear connection with Rome. The St. Joseph's Church is sheduled to be completed in spring 2000. Future additions of a school and gymnasium are contemplated.

AA.VV.

Santuario internazionale di Nostra Signora del Sole/*Our Lady of the Sun international Shrine*
El Mirage, Arizona - USA
1995

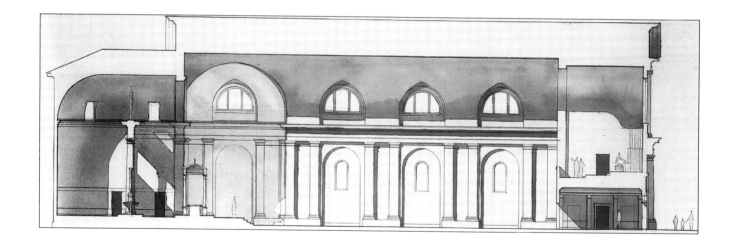

Duncan G. STROIK

Chiesa di Ognissanti/*All Saints Church*
Covington, Kentucky - USA
1998

"È nella Chiesa, in comunione con tutti i battezzati, che il Cristiano scopre la propria Vocazione (...) egli la riscopre nella tradizione spirituale e nella lunga storia dei Santi che sono stati prima di lui e che la liturgia celebra nei ritmi del ciclo santorale" (Il Catechismo)

"It is in the Church, in communion with all the baptized, that the Christian fulfills his vocation (...) he discovers it in the spiritual tradition and long history of the Saints who have gone before him and whom the liturgy celebrates in the rhythms of the sanctoral cycle" (The Catechism)

Questa chiesa parrocchiale è situata nella campagna di Covington, nel Kentucky. Le principali vie d'accesso alla chiesa offrono la vista dell'abside o della facciata. Il campanile in mattoni e la croce possono essere visti dalle strade principali e dall'autostrada. Una piccola piazza antistante crea un luogo di incontro per i fedeli e serve la scuola esistente e la parrocchia. Un lungo filare di alberi, oltre a segnare il percorso dal parcheggio alla chiesa, è pensato per le processioni. I prospetti interni ed esterni trovano riferimenti formali nel classicismo del Sud degli Stati Uniti e nell'architettura della Riforma Cattolica in Europa. La costruzione poggia su una base in muratura con una facciata di mattoni e pietra ed un cornicione di coronamento. Un battistero ottagonale è collocato alla sinistra dell'ingresso, secondo la tradizione a simboleggiare l'entrata nella Madre Chiesa attraverso il Battesimo. Esso diventa la base su cui poggia il grande campanile. All'interno trovano posto 600 persone. L'Assemblea si organizza su quattro file di panche con una navata di 14mt di larghezza e 15mt di altezza. Un ampio coro accoglie fino a 40 persone, un grande organo e altri strumenti. Un piccolo transetto aiuta ad articolare uno spazioso santuario ed un altare della Madonna e di S. Giuseppe. Nel Santuario è collocato, centralmente, l'altare marmoreo con baldacchino e tabernacolo bronzeo. Il baldacchino rappresenta il baricentro della messa ed ha, sotto il soffitto, un'immagine raffigurante lo Spirito Santo. Dato che la chiesa è dedicata a Ognissanti, ci sono nicchie e spazi nel muro per collocare immagini di santi e martiri, specialmente di questo secolo.

This Parish church is located on a prominent site in the countryside around Covington, Kentucky. The major approaches to the church offer views of its curved apse or its layered facade. The brick bell tower and cross can be seen from major roads and highways. A small piazza creates a focus and gathering space for the church, as well as for the existing school and rectory. Parking is in areas proximate to the church as well as along a new street with an allee of trees designed for processions. The composition of the exterior and interior elevations references the classicism of the Southern United States, as well as the architecture of the Catholic reformation in Europe. The construction is load bearing masonry with a brick and stone facing, and a roof cornice of wood. An octagonal baptistery is placed to the left in historic manner and symbolizes the entry into Mother Church through the sacrament of baptism. It becomes the foundation for a large bell tower. The interior holds 600 people. Seating is arranged in four rows of pews with a nave 48' wide and 50' tall. A generous choir loft allows for choirs of up to 40 people plus an organ and other instruments. A small transept helps to articulate a spacious sanctuary and devotional shrines to the Madonna and to St. Joseph. Within the sanctuary the marble altar is central with tentlike baldacchino overhead and a bronze tabernacle. The baldacchino symbolizes the epiclesis of the mass and has within its ceiling an image of the holy spirit. As the church is dedicated to All Saints there are sufficient niches and areas of wall to wich images of saints and martyrs, especially from this century, can be added.

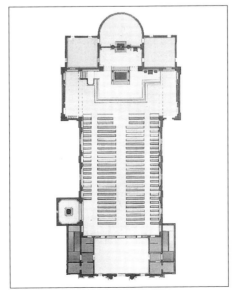

Duncan G. Stroik
Cappella della Sacra Famiglia, casa privata - USA , 1999
Chapel of Holy Family, private residence - USA, 1999

Duncan G. Stroik
Cappella di Maria, Diocesi di Wichita - USA, 1999
Mary the First Disciple Chapel, Diocese of Wichita - USA, 1999

Duncan G. STROIK

Chiesa Parrocchiale/*Parish Church*
Los Angeles, California - USA
1997

Questo progetto è per una chiesa parrocchiale nella California del Sud. La chiesa è progettata per una comunità parrocchiale composta prevalentemente da persone di origine messicana e filippina. L'edificio-chiesa simboleggia sia la comunità universale dei credenti che quella locale, per questo nelle forme e nel linguaggio essa si riferisce sia alla tradizione architettonica universale, sia a quella ispanica. L'interno e l'esterno riflettono le moderne esigenze liturgiche, ma s'ispirano alle chiese costruite dai missionari spagnoli e alla tradizione dell'architettura spagnola del Nord-America. Essa è situata al termine di una strada di un quartiere residenziale, cosicchè la sua presenza è chiaramente percepibile. L'altezza del campanile assicura un richiamo visivo e auditivo alla fede. La piazza di fronte alla chiesa offre un luogo di riunione in cui i fedeli si raccolgono attorno ad una fontana, simbolo dell'acqua viva e purificatrice del battesimo, e ad una croce. La piazza ricorda anche l'antico atrio ed il cortile delle missioni spagnole. La navata è progettata per ospitare 570 persone ed altre 150 nel coro.

This is a proposal for a new church for parish in Southern California. The church is designed for a growing parish made up of people predominantly of Mexican and Philippine descent. The church building symbolizes the community of believers both universally as well as locally, therefore in its design it partakes of universal traditions of architecture as well as the hispanic tradition. The interior and exterior reflect modern requirements while beintg inspired by churches built by Spanish missionaries and the tradition of Spanish architecture in North America. The church is sited at the end of a street within a residential neighborhood so that its presence may be clearly seen. The height of the bell tower ensures that it will be a sonorous and visual beacon of faith. A plaza in front of the church provides a public gathering area oriented around a fountain and cross symbolic of living water and the cleansing waters of baptism. It also recalls the early Christian atrium and the courtyards of Spanish missions. The nave is designed to hold 570 people with an additional 150 in the choir loft.

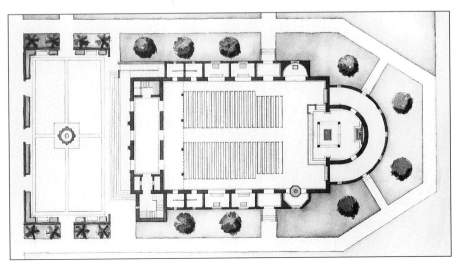

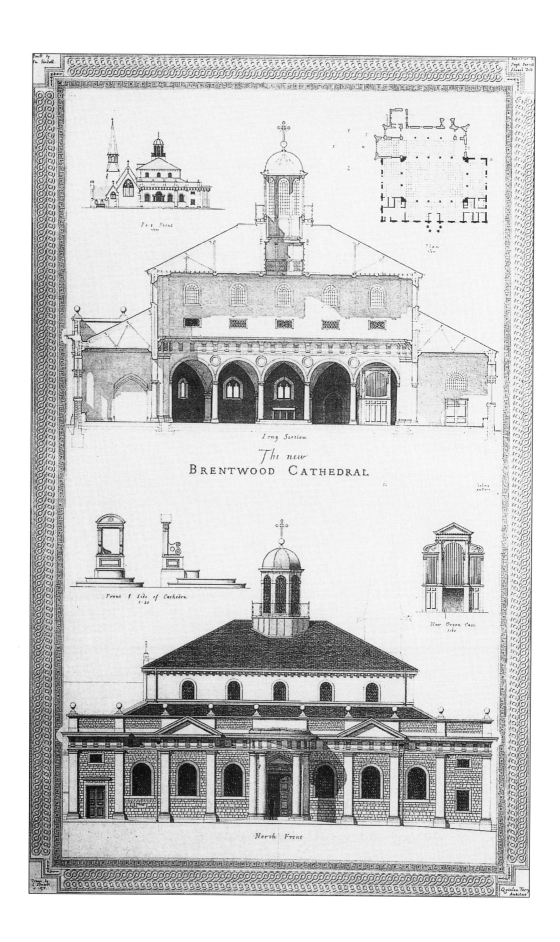

Long Section

The new
BRENTWOOD CATHEDRAL

Front & Side of Cathedra

New Organ Case

North Front

Quinlan TERRY

Cattedrale Cattolica di Brentwood/*Catholic Cathedral of Brentwood*
Brentwood - United Kingdom
1999

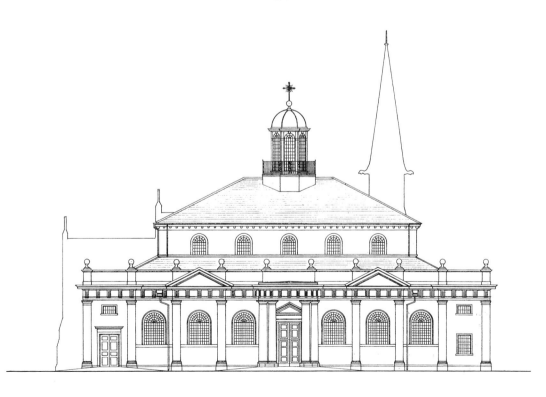

ALBERT RIGHTER & TITTMANN ARCHITECTS
BOSTON, MASSACHUSETTS

JOHN TITTMANN & DAVID CUTLER

PROPOSED CHAPEL
FOR
THOMAS MORE COLLEGE
MERRIMACK, NEW HAMPSHIRE
1999

John TITTMANN & David CUTLER

Progetto di una Cappella per il Thomas More College/*Proposed Chapel for Thomas More College*
Merrimack, New Hampshire - USA
1999

La Cappella qui proposta è per un piccolo collegio del New England. E' realizzata in legno, come nella tradizione costruttiva del New England. La facciata è ponte e ingresso. La navata è un volume unico con un asse centrale culminante all'altare. Essa è coperta con capriate, come potrebbe essere una antica sala assembleare greca.

I dettagli greci richiamano alla mente la tradizione del Greek Revival del New England così come le nostre antiche radici in Grecia. L'immaginario greco conferisce alla Cappella una rilevanza locale richiamando alla mente l'architettura che qualcuno dei primi Cristiani avrebbe voluto riconoscere.

The chapel proposed here is for a small New England Catholic college. It is built of wood as rural churches in New England are. The facade is a gateway and a portal. The nave is a single volume with a central axis culminating in the altar. The nave is roofed with exposed wooden trusses, as an ancient Greek assembly hall may have been.

The Greek details call to mind the local New England Greek Revival tradition as well as our ancient Western roots in Greece. The Greek imagery gives the chapel local relevance as well as calling to mind the architecture that some of the earliest Christians would have recognized.

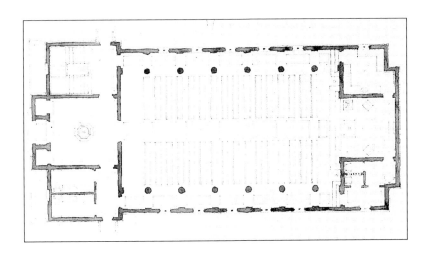

RICONQUISTARE LO SPAZIO SACRO
RECONQUERING SACRED SPACE

LA CHIESA CHE COSTRUISCE LA CITTÀ
CHURCH THAT BUILDS CITY

III

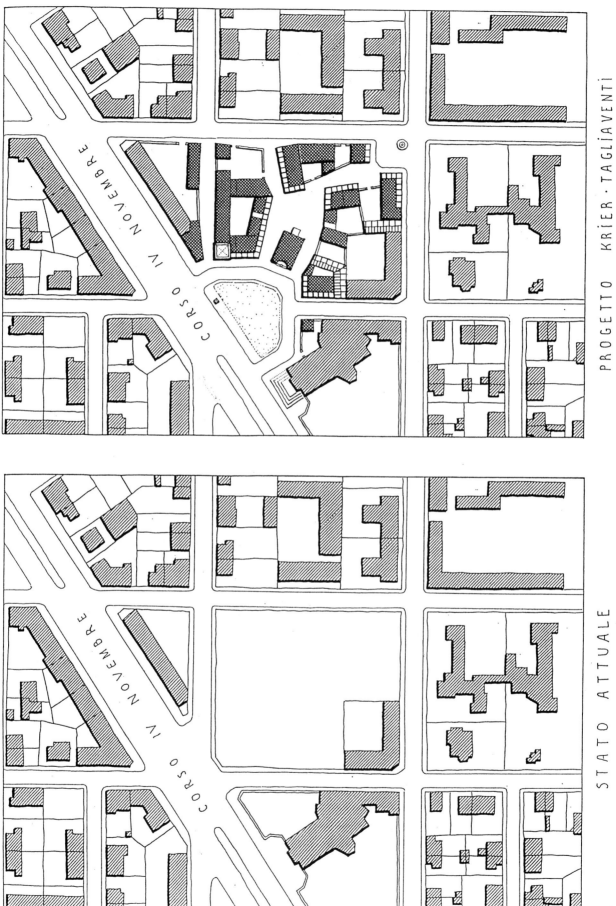

PROGETTO KRÏER · TAGLIAVENTI

CORSO IV NOVEMBRE

STATO ATTUALE

CORSO IV NOVEMBRE

Gabriele TAGLIAVENTI
con/*with* Leon KRIER

(consulente architettonico e urbanistico/*consultant for architecture and urbanism*)
Nuovo isolato/*New block*
Alessandria - Italia
in costruzione/*under construction*

Questo isolato si trova ai margini del centro storico della città e vuole ricreare gli spazi urbani tradizionali mediante l'uso di tipologie edilizie e materiali locali, nonché tramite la distribuzione irregolare degli edifici e l'inserimento di attività miste (artigianato, commercio, residenze e una banca) per favorire la vita sociale. La particolarità di questo isolato è che esso si struttura tenendo conto della Chiesa preesistente che diventa fuoco visuale. Nel progetto è stato incluso un campanile che così completerebbe l'edificio-chiesa, ma anche il nuovo quartiere arricchendolo di un ulteriore "segno" tradizionale e conseguentemente di un nuovo spazio urbano.
Il committente è disposto a finanziare la realizzazione del campanile.

This block is at the edge of the historical center of the town and it is meant to recreate the traditional urban spaces by using the local style and materials, by the irregular location of buildings and by the insertion of several activities (artisans, workshops, stores, residences and a bank) in order to promote the social life. The particular characteristic of this block is that it develops around the pre-existent Church that becomes the focus. In the design there is also the bell tower that in this way would complete the church-building and the new quarter enriching it by another traditional "vestige" and so by a new urban space.
The client is willing to finance the building of the bell tower.

October Concert Hall nella Piazza Greca, stato attuale
October Concert Hall on Greek Square, today

Progetto della October Concert Hall nella Piazza Greca, 1961
Project of the October Concert Hall on Greek Square, 1961
(arch. V. Kamensky, J. Verzhbitsky, G. Vlanin, A. Zhuk, ingegnere N. Maximov)

INTERNATIONAL URBAN DESIGN STUDIO

Ricostruzione della Piazza Greca/*Reconstruction of Greek Square*
St. Petersburg - Russia
Prince of Wales' Summer School - St. Petersburg Academy of Arts - Notre Dame University - 1996

Centrale nella propaganda sovietica comunista fu la battaglia contro la religione. La chiusura delle chiese avvenne dopo la Rivoluzione e la loro distruzione raggiunse il suo picco durante l'era di Stalin, fino a tutto il governo del Partito. Soltanto in San Pietroburgo furono distrutte centinaia di chiese di valore storico e artistico. Le chiese furono demolite oppure ricostruite e adattate alle nuove funzioni sociali. Furono attrezzate per le attività produttive e le caldaie, per i magazzini e per le scorte di verdura, per i clubs e per gli istituti di ricerca. Per molti anni la Chiesa Luterana tedesca di SS. Pietro e Paolo fu una piscina. La Chiesa svedese di Santa Caterina fu trasformata in una palestra. Una pista di ghiaccio occupava la chiesa appartenente al monastero dei dissidenti in Kiev sull'isola di Vasilevsky. La Chiesa della Vergine della Dolcezza fu un centro di studi per il nuoto subacqueo. La famosa Cattedrale Kazan ospitava un Museo dell'ateismo. Le chiese che furono abbattute furono sostituite con nuove piazze ed edifici, come l'atrio di una nuova stazione della metro o un cinema per intrattenere i leaders del comunismo. Tale fu anche il destino della Chiesa Greca del martire San Demetrio di Sirmium (Salunsky), il lavoro dell'architetto Roman Kuzmin del 1861-1866 sulla precedente Piazza Konnaya nel centro storico di San Pietroburgo. Costruita con il denaro raccolto dalla diaspora greca, fu molto ingrandita dopo la guerra di Crimea del 1854-1856. L'iconostasi e il piatto delle elemosine furono portate dalla Grecia e la chiesa fu sotto il patronato dell'Ambasciata Greca in San Pietroburgo. Kuzmin fece un viaggio in Grecia e sembrerebbe essere stato ispirato non solo da Santa Sofia a Costantinopoli ma anche dalle chiese di Monte Athos. Nel 1880 apparvero i giardini intorno alla chiesa e più tardi, al posto del Canale Ligovsky, fu costruito un nuovo viale fiancheggiato da blocchi residenziali e ospedali. Agli inizi del secolo fu costruita una scuola a fianco della chiesa.

Central to Soviet Communist propaganda was the battle with religion. The closure of churches began after the Revolution and their destruction reached its height during the Stalin era, continuing throughout the years of Party rule. In St. Petersburg alone hundreds of churches of historic and artistic value were destroyed. Church buildings were knocked down or rebuilt and adapted to new social functions. They were equipped for production lines and boilerhouses, warehouses and vegetable stores, clubs and research institutes. For many years the German Lutheran Church of SS Peter and Paul on Nevsky Prospekt was a swimming pool. In the Swedish Church of St. Catherine there was a gym. An ice rink occupied the Church of the branch of the Kiev Monastery of the Caves on Vasilevsky Island. The Church of the Virgin of Tenderness was a study centre for underwater swimming. The famous Kazan Cathedral housed a Museum of Atheism. Churches which were pulled down were replaced with new squares and buildings, such as the vestibule of a new metro station or a cinema to entertain the builders of Communism.

Such also was the fate of Greek Church of the martyr St. Demetrius of Sirmium (Salunsky), the work of architect Roman Kuzmin in 1861-1866 on the former Konnaya Square in the historic centre of St. Petersburg. Built on funds gathered from the Greek diaspora, it was greatly extended after the Crimean War of 1854-1856. The iconostasis and the church plate were brought from Greece and the Church was under the patronage of the Greek Embassy in St. Petersburg. Kuzmin travelled in Greece and would seem to have been inspired not only by St. Sophia in Constantinople but also by the churches of Mount Athos. In the 1880s gardens appeared around the church and later, in place of Ligovsky Canal, came a new avenue lined with residential blocks and hospitals. A school was built alongside the church at the turn of the century.

La chiesa greca continuò ad esistere sebbene nel 1938 cessarono i servizi, fino al 1961 quando fu demolita per far posto ad una nuova sala per concerti in onore del 50° anniversario della Rivoluzione. La October Concert Hall (architetti V. Kamensky, J. Verzhbitsky, G. Vlanin, A. Zhuk, ingegnere N. Maximov) fu usata per gli incontri e le celebrazioni del Partito. Con 4000 posti, era una delle sale più grandi dell'URSS. Aveva una tribuna mobile per il Presidium, posto d'onore riservato ai leaders comunisti. Allora sembrava essere l'ultimissima tra le "forme di architettura contemporanea", in stridente contrasto con il sito storico. Nel giugno del 1996 la Scuola Estiva per giovani architetti organizzata da Brian Hanson dell'Ufficio Progetti del Principe del Galles, Semion Mikhailovsky dell'Accademia delle Arti di San Pietroburgo e Thomas Gordon Smith della Scuola di Architettura dell'Università Notre Dame, lavorarono alla ricostruzione della Piazza Greca. Gli studenti avevano a disposizione come consulente uno degli autori del progetto della sala per concerti, il prof. Jan Verzhbitsky.

Questa fu una rara opportunità, in cui un architetto lavorava con gli studenti al fine di cambiare l'aspetto di un suo progetto, un progetto per il quale aveva vinto il prestigioso premio di stato (il prof. Verzhbitsky ora lavora molto per la Chiesa, disegnando iconostasi per le chiese di San Pietroburgo- come la Chiesa Luterana di San Michele e una chiesa in Petrozavodsk, nella parte nord-occidentale della Russia). I partecipanti alla Scuola Estiva dovevano richiamare l'attenzione sui problemi della progettazione della città, per dimostrare le potenzialità della città di svilupparsi entro i confini delle proprie tradizioni, preservando la parte centrale della sala per concerti ma ingrandendo la sua area (che dovrà essere ristrutturata), alterando le facciate, creando un insieme unificato con un albergo, uno spazio commerciale e residenziale, una fontana ed un viale.

The Greek church continued to exist, altough services ceased in 1938, until 1961 and was then demolished to make way for construction of a new concert hall in honour of the 50th anniversary of the Revolution. The October Concert Hall (architects V. Kamensky, J. Verzhbitsky, G. Vlanin, A. Zhuk, engineer N. Maximov) was used for meetings and Party celebrations. With 4,000 seats, it was one of the largest halls in the USSR. It had a movable tribune for the Presidium, place of honour reserved for Communist leaders. At the time it seemed to be using the latest in "contemporary architectural forms", in sharp contrast with the historic setting.

In June 1996 the Summer School for young architects organised by Brian Hanson of the Prince of Wales's Project Office, Semion Mikhailovsky of St. Petersburg Academy of Arts and Thomas Gordon Smith of Notre Dame University's School of Architecture, worked on the reconstruction of Greek Square. The students had available as consultant one of the authors of concert hall design, Professor Jan Verzhbitsky. This was a rare opportunity, in which an architect worked with students intent on changing the appearance of one of his own works, one for which he was awarded the prestigious state prize (Professor Verzhbitsky now does much work for the Church, designing iconostases for Petersburg churches – such as the Lutheran Church of St. Michael and a church in Petrozavodsk, in the North West of Russia).

Partecipants in the Summer School had to draw attention to matters of town planning, to show the potential for the city to develop within the borders of its own traditions, preserving the core of the concert hall yet increasing its area (of which it stands in great need), altering the facades , creating a unified ensemble with a hotel, retail and residential space, a fountain and an avenue.

INTERNATIONAL URBAN DESIGN STUDIO

Cappella Greca/*Greek Chapel*
St. Petersburg - Russia
Alla LEBEDEVA, Maxim & Viktoria ATAYANTS - 1999

Vivono così pochi greci a Leningrado oggi
Che abbiamo raso al suolo una chiesa greca per far spazio
Ad una nuova sala per concerti, costruita nello stile
Macabro ed infelice contemporaneo. Eppure una sala per concerti
Con più di 1500 posti
Non è una cosa macabra: è un tempio,
Un tempio alle arti. E chi incolpare
Se le doti vocali hanno più fascino
Delle logorate vestigia di un'antica fede?
Tuttavia è triste che da questa distanza adesso
Noi vediamo non le familiari cupole a cipolla
Ma una silhouette grottescamente piatta.
(*Una fermata nel Deserto* Joseph Brodsky premio Nobel 1966)

Fu deciso di includere una piccola cappella commemorativa sulla precedente Piazza Greca in memoria della chiesa distrutta. Nel 1996, Alla Lebedeva lavorò sul progetto della cappella. La cappella dovrebbe essere piccola ma monumentale e che ricordi la chiesa perduta, e riconoscibilmente "greca". Da ciò il tentativo di riferirsi chiaramente alle origini bizantine, particolarmente a quelle greche, senza copiare o ripetere le forme eclettiche del XIX secolo. Il rapporto tra i volumi e il trattamento degli elementi architettonici richiama le chiese greche medievali. L'idea base era quella del ciborio, di un baldacchino attraversato dalla luce proveniente dalle volte sopra ai pilastri. Importante è stata la genesi delle forme architettoniche bizantine, per esempio, il ritorno all'ispirazione della prima architettura cristiana. Quindi l'uso della forma monopterale nella parte superiore della cappella commemorativa, la combinazione di pietra e mattoni sui muri e gli elementi strutturali, le finestre termiche e gli archi che si poggiano direttamente sulle colonne. Al fine di creare un senso celebrativo, l'edificio si serve della policromia e di una varietà di materiali naturali- porfido nelle rifiniture della facciata, onice nelle colonne ed elementi di ceramica smaltata sul tamburo e l'abside. L'accentuazione della struttura a tre parti della cappella si riflette anche in una gerarchia di luce che penetra nello spazio interno. Internamente, il tamburo poggia in modo visivo su due file di colonne di onice, i cui capitelli reggono i simboli dei quattro Evangelisti.

So few Greeks live in Leningrad today
That we have razed a Greek church, to make space
For a new concert hall, built in today's
Grim and unhappy style. And yet a concert hall
With more than fifteen hundred seats
Is not so grim a thing: it is a temple,
And a temple to the arts. And who's to blame
If vocal skill has more appeal
Than the worn banners of an ancient faith?
Still it is sad that from this distance now
We see, not the familiar onion domes,
But a grotesquely flattened silhouette.
(*A Halt in the desert* Joseph Brodsky Nobel price winning poet, 1966)

It was decided to include a small memorial chapel on the former Greek Square in memory of the destroyed church. In 1996 a student of the architectural faculty of the St. Petersburg Academy of Arts, Alla Lebedeva, worked on the design for the chapel. The chapel should be small, yet monumental and reminiscent of the lost church, and recognisably "Greek". Hence the turn to Byzantine traditions, the attempt to clearly refer to Byzantine, particularly Greek, sources, without copying or repeating the ecletic forms of the 19th century. The relationship between masses and the treatment of the architectural elements recalls medieval Greek churches. The basic idea was that of the ciborium, of a baldacchino pierced by the light from the vaults over the piers. Also important were Classical Antiquity and the genesis of Byzantine

architectural forms, i.e. a return to the inspiration behind Early Christian architecture. Hence the use of the monopteral form in the upper part of the memorial chapel, the combination of stone and brick in the walls and the structural elements, the thermal windows and arches resting directly on the columns. To create a sense of celebration, the building uses polychromy and a variety of natural materials – porphyry in the facade finishes, onyx in the columns and glazed ceramic elements on the drum and the apse. The accentuation of the three-part structure of the chapel is also reflected in a hierarchy of light filling the inner space. Inside, the drum rest visually on two rows of onyx columns the capitals of which bear the symbols of the four Evangelists.

Helmut Rudolf PEUKER

Ricostruzione della *Spina di Borgo/Reconstruction of the* Spina di Borgo
Roma - Italia
1991

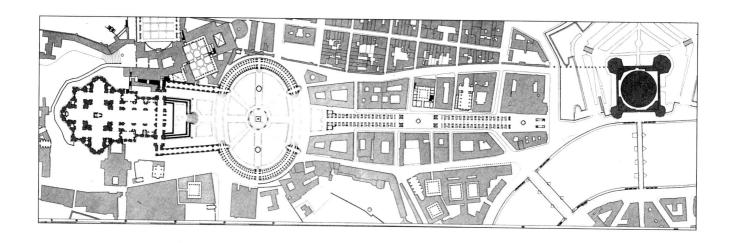

INDICE DEGLI AUTORI / *CONTENTS OF AUTHORS*

BIBLIOGRAFIA GENERALE/*BIBLIOGRAPHY*

Indichiamo di seguito una serie di testi che, a nostro avviso, risultano di particolare importanza per una corretta comprensione del contesto simbolico e liturgico necessario ad orientare un'opera architettonica informata ai principi di una *tradizione viva.*
The following is a list of texts which we consider particularly important for a correct understanding of the symmbolic and liturgical context necessary in order to be able to orient an architectural work which is based on the principles of a living tradition.

- BERNARD Charles André, *Theologie symbolique*, Tequi, Paris
- BOUYER Louis, *Architecture et liturgie*, Les Editions du Cerf, Paris 1967
- BUNGE Gabriel, *Vasi di argilla*, Qiqajon, Magnano 1996
- BURCKHARDT Titus, *Chartres und die Geburt der Kathedrale*, Archè-La Nef de Salomon 1995
- BURCKHARDT Titus, *L'arte sacra in occidente e in oriente*, Rusconi, Milano 1976
- CARLI Carlo Fabrizio, *Architettura e tradizione*, Settimo Sigillo, Brescia 1982
- CARLI Carlo Fabrizio, *Le colonne e gli archi*, Settimo Sigillo, Roma 1987
- CHARBONNEAU-LASSAY Louis, *Le bestiaire du Christ,* Desclee De Brouwer, Paris 1940
- CHERCHI-CHIARINI Gavina, *Il Cervo e il Dragone*, Ets, Pisa 1998
- CORBIN *La musica cristiana dalle origini al gregoriano*, Jaca Book, Milano 1988
- DE CHAMPEAUX Gerard, STERCKX dom Sebastian O.S.B., *Introduction au monde des symboles*, Zodiaque, St. Leger Vauban 1972
- DEMETRESCU Camilian, *Il simbolo nell'arte romanica*, voll. I e II, Il Cerchio, Rimini 1997-1999
- ELIADE Mircea, *Das Heilige und das Profane. Vom Wesen des Religiöse*, Rowohlt, Reinbek bei Hamburg 1957
- EVDOKIMOV Pavel, *L'art de l'icône. Theologie de la beauté*, Desclée De Brouwer, Paris 1972
- FLORENSKIJ Pavel Aleksandrovic, *Stolp i utverždenie istiny,* PUT, Moskva 1914
- FLORENSKIJ Pavel Aleksandrovic, *Ikonostas*, in "Bogoslovski trudi", n°9, pp 88-148, 1972 (1922)
- FLORENSKIJ Pavel Aleksandrovic, *Analiz prostranstvennosti v chudozestvennych proizvedenjach* (s.d.)
- FÜRST-WULLE Margherita, *Il canto cristiano nella storia della musica occidentale*, Claudiana, Torino 1974
- GUARDINI Romano, *Vom Geist der Liturgie*, Verlag Herder, Freiburg 1919
- GUARDINI Romano, *Liturgische Bildung. Versuche*, Verlag Deutsches Quickbornhaus, 1923
- IONESCU Aurel, *Incontrare un'icona*, Il Cerchio, Rimini 1996
- LURKER Manfred, *Wörterbuch biblischer Bilder und Symbole*, Kösel Verlag, München 1987
- Dom MIQUEL, *Petit traité de theologie symbolique*, Editions du Cerf, Paris 1987
- MORDINI Attilio, *Verità del linguaggio*, Volpe, Roma 1974
- MUZJ Maria Giovanna, *Trasfigurazione*, Edizioni Paoline, Milano 1987
- MUZJ Maria Giovanna, *Visione e Presenza*, La Casa di Matriona, Milano 1995
- PANUNZIO Silvano, *Contemplazione e simbolo*, Volpe, Roma 1975
- PIAZZA Leonardo, *Mediazione simbolica in San Bonaventura*, Lief, Vicenza 1978
- REES Elizabeth, *Christian simbols, ancient roots*, Jessica Kingsley Publishers ltd, London 1992
- ROSSANO Pietro, RAVASI Gianfranco, GIRLANDA Antonio, *Nuovo dizionario di teologia biblica*, Edizioni Paoline, Milano 1988
- ROUET Albert, *Art et liturgie,* Desclée De Brouwer, Paris 1992
- RUSCONI Carlo, AGOSTINI Carlo, *Fulget Crucis Mysterium*, Il Cerchio, Rimini 1991
- SCHNEIDER Marius, *El origen musical de los animales-simbolos en la mitologia y la scultura antiguas*, Consejo superior de investigaciones – Instituto español de musicologia, Barcelona 1946
- SCHNEIDER Marius, *Pietre che cantano. Studi sul ritmo di tre chiostri catalani di stile romanico*, Archè, Milano 1976
- SEDLMAYR Hans, *Verlust der Mitte*, Otto Müller Verlag, Salzburg 1948
- SEDLMAYR Hans, *Die Revolution der modernen Kunst*, Rowohlts Deutsche Enzyklopädie, I, Reinbek bei Hamburg 1955
- SEDLMAYR Hans, *Der Tod des Lichtes,* Müller Salzburg 1964
- TRUBECKOJ Evgenij, *Umozrenie v kraskach*
- VIDAL Jacques, *Sacré, symbole, creativité*, Centre d'histoire des religions, Louvain-La-Neuve 1990

Finito di stampare nel mese di Ottobre 1999
presso la STAMPERIA LAMPO
00198 Roma - Via Adda, 129/A
Tel. e Fax: 06 8554312 - E-mail: stlampo@tin.it